Constellation

Adrien Bosc

Constellation

roman

Stock

Ouvrage publié sous la direction de
Benoît Heimermann

Illustration de bande : © Matt Jamont,
à partir d'une photographie de Benjamin Colombel

ISBN 978-2-234-07731-7

À Laura

La combinaison de quelques mots suffit parfois à orienter notre vie.

Antonio Tabucchi,
Femme de Porto Pim et autres histoires

1

ORLY

Je suis la vrille colossale
Qui perce l'écorce pétrifiée de la nuit.

Filippo Tommaso Marinetti,
Le Monoplan du Pape

Ce soir du 27 octobre 1949 sur la piste de
l'aérodrome d'Orly, le F-BAZN d'Air France
s'apprête à accueillir trente-sept passagers en par-
tance pour les États-Unis. Un an plus tôt, Marcel
Cerdan débarquait auréolé du titre de champion
du monde de boxe des poids moyens conquis
de haute lutte à Tony Zale. Et le 7 octobre 1948,
la foule le portait en triomphe. Un an plus tard,
à l'intérieur de l'aérodrome, Cerdan, accompagné
de son manager Jo Longman et de son ami Paul
Genser, part reconquérir son titre, désormais propriété de Jake LaMotta, le Taureau du Bronx. Et
c'est une certitude, en décembre prochain, par un
autre Constellation, il reviendra avec le titre. Dans

le hall d'Orly, il fanfaronne, aux journalistes il assure : « Puisque je vous dis que je le ramènerai mon titre. Je vais me battre comme un lion. » Lion contre Taureau, une affaire de signes et de constellations. Le lion de Némée contre le Minotaure, fabuleuse affiche du 2 décembre 1949 au Madison Square Garden.

Jo Longman a sa tête des mauvais jours, il a fallu se dépêcher, annuler la traversée en bateau, faire valoir le droit de priorité sur le Paris-New York, et tout ce merdier pour retrouver Édith Piaf au petit matin. « Revenez avec le titre ! » lui lance un employé d'Air France, « Je ne pars que pour ça ! » répond Marcel. « Mouais », marmonne Jo, qui ne peut s'empêcher d'ajouter : « Si tu m'avais écouté, nous aurions attendu quelques jours. Ma parole ! Nous partons presque comme des voleurs. Mardi, nous apprenions la signature du match pour le 2 décembre, hier, nous étions en province, c'est à peine aujourd'hui si nous avons pu boucler nos valises. Je t'avais proposé de rester ici toute la semaine, d'assister lundi à la réunion du Palais des Sports. C'était simple, trop simple, et demain tu tempêteras, car, naturellement, dans notre précipitation tu auras oublié la moitié de tes affaires. » La colère est feinte, ils sont habitués à jouer la comédie des reproches, à Marcel revient le rôle de l'inconséquence amusée, à Jo celui du professionnel contrarié. Dans quelques instants, accoudés au comptoir du bar d'Air France, ils en riront. Depuis le départ de l'entraîneur Lucien Roupp, Jo est monté en grade. Éternelles lunettes noires, cheveux graissés au Pento, fondateur du « Club des Cinq » – le cabaret-restaurant où Édith et Marcel se sont rencontrés –, Jo a tout du personnage louche. Le boxeur aime son bagou, son sens de la fête et des affaires, il est le parfait compagnon des allers-retours entre Paris, New York et Casablanca.

L'« Avion des stars » ne fait ce soir pas injure à son surnom : à côté du « Bombardier marocain », la virtuose Ginette Neveu, elle aussi, part à la conquête de l'Amérique. Pour *France-Soir*, une série de photos s'improvise dans le hall. Sur le premier cliché, Jean Neveu au centre, amusé, regarde sa sœur, Marcel tient entre ses mains le Stradivarius et Ginette, tout sourire, l'observe. Puis Jo remplace Jean et de son œil d'expert compare la petite main de la violoniste à la puissante poigne du boxeur.

Désormais sur le tarmac, au pied de l'escalier d'accès, la discussion se poursuit entre les deux célébrités. Ginette lui détaille la tournée, Saint Louis, San Francisco, Los Angeles, Chicago, New York. Il lui propose des places au premier rang pour la revanche au Madison Square Garden et promet d'assister au concert du Carnegie Hall le 30 novembre. Peut-être dîneraient-ils au Versailles, le cabaret où triomphe depuis des mois la Môme.

Les quatre énormes moteurs Wright Cyclone du Lockheed Constellation F-BAZN bourdonnent.

Hélices et pales ont été inspectées, et les onze membres d'équipage prennent place à l'avant de l'appareil. C'est un grand et beau quadrimoteur au fuselage d'aluminium, son train démesuré lui donne l'allure singulière d'un échassier. Dans la file d'embarquement, trente-deux autres passagers : John et Hanna Abbott, Mustapha Abdouni, Eghline Askhan, Joseph Aharony, Jean-Pierre Aduritz, Jean-Louis Arambel, Françoise et Jenny Brandière, Bernard Boutet de Monvel, Guillaume Chaurront, Thérèse Etchepare, Edouard Gehring, Remigio Hernandores, Simone Hennessy, René Hauth, Guy et Rachel Jasmin, Kay et Ketty Kamen, Emery Komios, Ernest Lowenstein, Amélie Ringler, Yaccob Raffo, Maud Ryan, Philippe et Margarida Sales, Raoul Sibernagel, Irène Sivanich, Jean-Pierre Suquilbide, Edward Supine et James Zebiner. Sur le carreau, les deux jeunes époux, Edith et Philip Newton, de retour de leur lune de miel, et Mme Erdmann, font les frais du droit de priorité accordé au champion.

2

Un Dakota à Casablanca

La vie moderne autorise les voyages,
mais ne procure pas d'aventure.

Jean Mermoz, *Mes vols*

L'avis de gros temps sur la Manche et l'Atlantique nord décide le pilote, Jean de La Noüe, à changer le plan de vol. En lieu et place de l'escale à Shannon en Irlande, le ravitaillement s'effectuera sur la petite île de Santa Maria dans l'archipel des Açores. Les procédures de départ sont enclenchées, tête haute, le grand échassier se dirige de la plate-forme d'embarquement vers la piste. Les hélices Curtiss vrombissent en cadence et amorcent le décollage. Le pilote à la tour :

« F-BAZN demandons autorisation de décoller. »

La tour au pilote :

« Autorisation accordée F-BAZN. »

20 h 06, le Constellation prend son envol.

Bientôt l'Atlantique, dans six heures l'aérodrome de Santa Maria, puis Terre-Neuve et enfin New York demain matin.

Près de six ans après avoir rejoint les Forces françaises libres à Londres, Jean de La Noüe se souvient encore avec délectation de ses années buissonnières à œuvrer sur des coucous, d'abord anglais puis américains.

Il ne l'avait pas digérée cette drôle de guerre et sa débâcle. Tant bien que mal, il avait écouté sa femme, et repris sous l'Occupation son travail de pilote de ligne pour la compagnie Air France. Mais la pilule avait de plus en plus de mal à passer. Il savait que tout se jouait à Londres et il n'y était pas. À Pléneuf-Val-André, son village, on peut deviner certains jours les falaises anglaises. Et au loin, la France libre, Radio Londres. Reprendre du service au-dessus de la Manche, de l'Atlantique, en Méditerranée, qu'importe pourvu qu'on soit dans le ciel et du bon côté. Il n'avait que cinq ans lorsque l'armistice de la Grande Guerre avait été signé dans un wagon sur la clairière de Rethondes, et c'est en découvrant les exploits de l'escadrille de Dunkerque qu'il avait attrapé le virus de l'aviation. Son héros : Charles Nungesser, disparu l'année de ses quinze ans à bord de *L'Oiseau blanc* au-dessus de l'Atlantique avec François Coli lors d'une tentative de vol sans escale. Un corsaire des airs dont le biplace, un Nieuport 17, portait sur la carlingue les insignes peints du pilote : un cœur noir encerclant une tête de mort et un cercueil disposé entre deux chandeliers. Jean n'avait pas l'étoffe d'un héros, mais pas non plus d'un fuyard. Démobilisé en 1940, c'est à regret qu'il avait troqué les lignes ennemies pour les lignes commerciales. En 1943, lors d'un énième vol, Jean avait joué la fille de l'air et rejoint les Forces françaises libres. Puis, après le débarquement allié en Afrique du Nord, il avait été affecté au transport des soldats de Casablanca vers le front italien. Son avion : un Dakota, que les pilotes anglais surnommaient *Gooney Bird*, « l'Albatros », gauche au sol, majestueux dans les cieux.

Le temps est loin aujourd'hui de ces survols de la Méditerranée, les plus belles années de sa vie, répétait-il. L'invasion de l'île de Pantelleria le 10 juin 1943, puis Linosa, Lampedusa et la fameuse conquête de la Sicile. Trente-huit jours de campagne à charrier, depuis la base avancée de Pantelleria, vingt-huit hommes par Dakota. Et à dessiner dans le ciel au gré d'allers-retours des lignées de toiles de parachutes. L'opération Avalanche à Salerne puis Slapstick avec la prise du port de Tarente. Viendrait la grande bataille, Monte Cassino, le 11 mai 1944. Puis les parachutages en Provence. À Casablanca, base arrière alliée, Jean reprenait vie. L'histoire était à pied d'œuvre, et il en était, l'un des figurants du grand théâtre d'opération organisé par Churchill et Roosevelt lors de la conférence de Casablanca. De Gaulle, Giraud, quelques anciens de l'aéronavale démobilisés, l'armée française devenue le second couteau des dispositifs alliés ; tous ces hommes avaient, chevillé au corps, le goût de la revanche et de la reconquête. Après guerre, Jean avait emmené sa femme au Max Linder assister à la projection de *Casablanca* avec Ingrid Bergman et Humphrey Bogart. Il s'étonna d'une casbah à mille lieues de ses souvenirs et rit de bon cœur de cette *Marseillaise* orchestrée par le résistant Lazlo. Vaste blague. Il décrirait à Aurore en remontant le boulevard Poissonnière son Casablanca. L'hôtel d'Anfa et le restaurant panoramique. La palmeraie autour de l'aérodrome Camp-Cazes et les baraquements où s'entassaient les pilotes. La piste, décor final du film où Rick Blaine et le capitaine Renault célèbrent le début d'une nouvelle amitié. Il lui raconterait aussi l'histoire de l'aéropostale marocaine, les exploits de Mermoz et de Saint-Exupéry, le survol du désert, les dunes de sable où l'on ne voit rien, n'entend rien, et la beauté cachée par l'immensité.

Le soir du 27 octobre 1949, Jean, commandant de bord du F-BAZN, compte soixante mille heures de vol et quatre-vingt-huit traversées. À ses côtés, Charles Wolfer et Camille Fidency, deux anciens pilotes de chasse. Depuis la fin des conflits, aucun front n'attendait plus ces soldats, et, tout comme Jean, ils n'avaient pas tenu à poursuivre leur carrière dans l'aéronavale, s'accommodant de ce nouveau terrain de jeu. Affectés sur les mêmes vols, ils s'étaient liés d'amitié. Nés à la même heure un 4 décembre 1920, ils étaient surnommés dans la compagnie les « jumeaux astrologiques ». Bientôt, entre deux escales, ils célébreraient leur vingt-neuvième année. À la radio, Roger Pierre et Paul Giraud, à la navigation Jean Salvatori. Enfin, André Villet et Marcel Sarrazin, mécaniciens, complètent l'équipage.

3

La note est impure

*L'avion ! l'avion ! qu'il monte dans
les airs,
Qu'il plane sur les monts, qu'il traverse
les mers*

Guillaume Apollinaire,
Poèmes retrouvés

« La nouvelle comète d'Air France », pouvait-on lire sur les dépliants publicitaires. Le Constellation allait supplanter les palaces flottants et inscrire définitivement l'hégémonie du ciel sur la mer. Un oiseau chromé né de la folie d'un homme, Howard Hughes.

Principal actionnaire de la compagnie Trans World Airlines (TWA), Hughes avait lancé en 1939 les études pour la construction du « Connie ». Associé au constructeur Lockheed Aircraft, le magnat du cinéma et de l'aviation tentait un nouveau pari, un avion de ligne quadrimoteur pressurisé capable de franchir une distance de cinq mille six cents kilomètres d'un seul tenant. Il en dessinait les plans, à main levée, des croquis guidés par une quête d'élégance et d'érotisme, charge aux ingénieurs d'adapter l'esquisse aux règles de l'aéronautique. À la même époque, pour les besoins du film *Le Banni*, le cinéaste-aviateur imaginait un soutien-gorge à armatures renforcées autoportant muni d'acier et transformait la poitrine de Jane Russell en un missile pointé droit sur l'écran et les ligues de vertu.

Intégré au programme de défense de l'armée américaine, ce n'est qu'en 1944, après avoir charrié les troupes alliées d'un continent l'autre, que le Constellation, avec, aux commandes, son milliardaire excentrique, effectuait son premier vol commercial, pulvérisant au passage un record, de Burbank en Californie à Washington en six heures et cinquante-sept minutes. Le 15 février 1946, le producteur-aviateur convoquait le Tout-Hollywood à un vol sans escale de New York à Los Angeles. À huit mille mètres d'altitude, Hughes, porte-voix dans une main, coupe de champagne dans l'autre, aux bras de Paulette Goddard et Linda Darnell, présentait son nouveau joujou. Avec le Constellation et ses *étoiles*, l'aviation entrait dans l'ère d'un luxe aluminé. Symbole de l'apogée des transatlantiques à hélices, les premiers vols n'auguraient pourtant en rien de son destin. Singulière loi des séries. Le 18 juin 1946, un des quatre moteurs du Constellation de la Pan Am prit feu.

Pendant près de onze heures, le pilote réussit l'exploit de survoler tout de même les États-Unis. Le quadrimoteur Constellation que la presse surnommait désormais « le meilleur *trimoteur* du monde » fut victime vingt-trois jours plus tard d'un autre accident, l'atterrissage d'urgence en plein champ causa la mort de cinq des six passagers. Mesure de précaution, les Constellation furent cloués au sol le temps que le constructeur Lockheed apporte les modifications nécessaires. Ajustements réalisés, quelques mois plus tard le Constellation obtenait à nouveau le certificat de navigabilité, et s'imposait comme l'incontournable long-courrier pour les compagnies aériennes du monde entier. Parmi elles, l'ancienne société anonyme Air France, désormais dans le giron de l'État, commandait au constructeur Lockheed treize de ses engins. Et le 9 juillet 1946 décollait de l'aéroport La Guardia le premier Constellation Air France, matricule F-BAZA, aux commandes, Roger Loubry. Depuis le 8 octobre 1947 et l'inauguration des prestations de luxe « Comète d'Or », Air France pouvait se targuer d'être la seule compagnie à proposer des couchettes dans ses transatlantiques et à avaler d'un grand sommeil les seize heures de vol.

Désormais au large des côtes françaises, l'hôtesse de l'air Suzanne Roig et les deux stewards Albert Brucker et Raymond Redon s'affairent en cabine. Marcel Cerdan, après avoir gratifié les pilotes d'une courte visite, est assis à côté de son ami Paul Genser. Devant eux, Jo Longman discute avec le journaliste René Hauth, rédacteur en chef des *Dernières nouvelles d'Alsace*. Ce dernier s'enquiert de l'état de forme du champion, de son programme, du camp d'entraînement choisi et des appréhensions du manager. Un papier qu'il télégraphiera demain matin depuis New York à sa rédaction. L'occasion rêvée de glaner en plein vol des informations de première main. Le heureux hasard des airs dessine les plus improbables rencontres. À l'arrière, Jean et Ginette Neveu discutent en complices et font la connaissance de leur voisin Edward Supine, importateur de dentelle à Brooklyn de retour d'un voyage d'affaires à Calais. Il ne s'y connaît que très peu en musique leur avoue-t-il, gêné, mais leur assure qu'il écoutera l'un de leurs enregistrements, et demande à la virtuose d'épeler son nom. Guy Jasmin, quatre sièges plus loin, commence la lecture de *Moby Dick* acheté la veille du départ à la librairie Gallimard du boulevard Raspail. Les premiers mots sont un indéniable sésame : « Je m'appelle Ishmaël. Mettons. Il y a quelques années, sans préciser davantage, n'ayant plus d'argent ou presque et rien de particulier à faire à terre, l'envie me prit de naviguer encore un peu et de revoir le monde de l'eau. »

À sa droite, Ernest Lowenstein, propriétaire de tanneries en France et au Maroc, n'en revient toujours pas d'être sur le même vol que Marcel Cerdan.

Il se débrouille pour approcher le champion et lui faire signer son bloc-notes. L'hôtesse, jupe plissée, tailleur bleu marine et béret siglé de l'écusson hippocampe de la compagnie, longe l'allée centrale – enfilade de sièges inclinés d'un côté et de couchettes rideaux tirés de l'autre –, distribuant les plateaux-repas à l'ensemble des passagers. Bœuf en gelée, navarin d'agneau et macarons, le tout arrosé de champagne. Depuis le 30 septembre, Air France propose ainsi des repas chauds à bord de ses avions, pour nombre des passagers c'est une première. Une idée de Max Hymans, le président de la compagnie, qui avait, quelques mois plus tôt, créé le service hôtelier d'Orly et enrôlé pour l'occasion plusieurs grands chefs parisiens.

Treize mille neuf cents pieds au-dessus de l'Atlantique, le Constellation confirme à Orly sa position à 21 heures et poursuit la diagonale qui le mène aux Açores. À cette vitesse de quatre cents kilomètres à l'heure ils atteindront l'aéroport de Santa Maria à 2 h 30 du matin. En vitesse de croisière, l'engin semble planer. Dans la cabine de pilotage, Jean de La Noüe a lâché le manche et s'en remet à ses deux copilotes. En lien direct avec le contrôle des opérations d'Air France, Roger Pierre l'informe des conditions météorologiques.

« Commandant, Paris vient de confirmer le plan de vol transmis à Santa Maria, on annonce une dépression sur l'archipel à l'heure d'arrivée, et une visibilité limitée au sol. »

Il est bientôt 23 heures quand Jean de La Noüe reprend les commandes de l'appareil, le temps de dépasser une zone de turbulences. Décision est prise de prendre de l'altitude afin d'installer l'avion au-dessus des nuages. À l'intérieur de la cabine, les passagers s'endorment, bercés par le bourdonnement régulier des hélices. Quelques minutes avant la descente, ordre sera donné de les tirer de leur sommeil afin qu'ils s'attachent et se préparent. Un premier somme de trois heures, avant le long tronçon nord vers Terre-Neuve.

Jean n'est pas homme affable, il aime à asseoir son commandement sur le silence – quelques paroles bien distillées, jamais de fioritures –, le seul nécessaire au bon déroulement du vol. Une autorité de peu de mots. Il parle rarement de la guerre et de ses exploits, au contraire de ses deux copilotes pour qui l'aéronavale fut un baptême de l'air. Ces pilotes déjà aguerris, s'ennuyant de la monotone ligne sud des Amériques, débattent des performances des derniers avions de chasse et détaillent au passage les mérites respectifs des MiG-9 et Yak-15 soviétiques, et du F-84 Thunderjet de la Navy. Et de vanter les efforts de l'aéronautique française qui, rattrapant son retard, accouchait quelques années plus tôt du SO.6000 Triton, monoréacteur biplace pouvant atteindre en pointe une vitesse de neuf cent cinquante-cinq kilomètres à l'heure – à quelque trois cents kilomètres du mur du son franchi par Chuck Yeager à bord du Bell X-1, l'avion-fusée en forme de balle de fusil. Aux lignes de l'aéropostale française, aux règles de « toujours aller voir » et de « toujours décoller » succédaient d'autres limites, cette fois-ci sonores et spatiales.

À 1 heure du matin, à trois cents kilomètres du point d'arrivée, le contact est établi avec la tour de contrôle de Santa Maria. Lors des premiers échanges, consigne est donnée au Constellation de régler son émetteur, la note, selon les autorités aéroportuaires, est impure. Le guidage par radio-phares le long de la ligne des Açores confirme la position idéale de l'avion. Le contrôle régional annonce des conditions atmosphériques optimales et une bonne visibilité au sol.

4

La Folie Monvel

Figurez-vous qu'elle était debout leur
ville, absolument droite.

Louis-Ferdinand Céline,
Voyage au bout de la nuit

Bernard Boutet de Monvel n'aimait pas les voyages en avion. Il ne s'agissait en rien d'une phobie. Il avait été pilote. Un héros même. Mobilisé en 1914, après quelques exploits au-dessus de la baie de Somme, il se distingua lors d'un raid magistral entre Salonique et Bucarest. Malgré tout, il préférait de loin la lenteur des transatlantiques. Et ce n'était que contraint qu'il empruntait la voie des airs. Homme d'un autre siècle, représentant d'un monde sur le déclin qui laisserait bientôt place au règne des hommes pressés, Boutet de Monvel aurait volontiers souscrit au *Bilan de l'intelligence* qu'établissait Paul Valéry : « Nous ne supportons plus la durée. Nous ne savons plus féconder l'ennui. »

Peintre des lignes sèches, de la géométrie plane, il aimait à observer la droite perfection des paquebots luxueux. Aux yeux de cet homme, le ventre mou du xxᵉ siècle dans lequel il naviguait malgré lui ressemblait bien plus à la fin d'une époque que ne l'avait été l'entre-deux-guerres. Il se sentait déjà hors course, et avec joie ralentissait la cadence. À l'homme nouveau, il répondait par la caricature de l'autre temps. L'outrance de son dandysme, la perfection de sa tenue, l'accentuation de la politesse et des manières étaient autant de freins à l'impatience générale. Un léger pas de côté en bottines cirées dont il se délectait à la dérobée, un déraillement en costume trois pièces de la marche du monde. Ces foules anonymes perdues au milieu des buildings, des gares gigantesques et des rues géantes l'avaient pourtant obsédé. Il y voyait la retranscription parfaite d'un idéal, la lutte des formes planes, la massification encadrée en un plan vertical. Le dédain de l'avant-garde le rassurait plus qu'il ne le peinait, il y repérait une reconnaissance. Un tempo décalé en forme d'éthique l'amenait à nager irrémédiablement à contre-courant. Et c'est par cette même réaction qu'il avait préféré en 1926 au plus fort du rayonnement de l'art parisien émigrer aux États-Unis, puis en revenir pour un temps, quand, au milieu de la Seconde Guerre mondiale, New York devint le lieu d'exil privilégié des artistes européens. Une conduite en chassé-croisé dont il fut parfois sa propre victime. Se jurant de se défaire de l'étiquette de peintre mondain, il était devenu outre-Atlantique et sans l'avoir planifié le portraitiste des milliardaires, le peintre le plus prisé de la Café Society. Bien loin des paysages de Fez qu'il avait peints au sortir de la Grande Guerre, ou des séries de croquis réalisés pour le magazine *Harper's Bazaar* à bord des transatlantiques ou bien encore des aciéries de Chicago et des vues de Grand Central Station, il était célébré, adulé pour ses portraits en pied. Masochisme artistique, déjà en 1908, c'est par un autoportrait qu'il connut la reconnaissance de ses pairs à la Société nationale des beaux-arts. Lors de l'exposition, amusé, il avait d'ailleurs répondu à la présentation de son travail par cette boutade faussement modeste : « Non, presque rien, un portrait de moi. » À vouloir œuvrer contre soi-même on y réussit parfois. Posture bien paradoxale qui pourrait laisser entendre que l'échec a ses vertus. Ainsi du krach de 1929 qu'il célébra. Les millionnaires se jetant du haut des gratte-ciel réduisaient ses carnets de commandes et lui permettaient de s'adonner aux peintures des étendues vides du Nouveau Monde. Une dépression féconde, troquer la peinture de la chair triste des âmes fières pour des perspectives bétonnées. L'usine plutôt que son patron, l'immeuble en lieu et place de son propriétaire.

Un visage aristocrate souligné par des yeux d'un bleu profond et des traits limpides qu'élargissait un noble front. Boutet de Monvel, cheveux plaqués, toujours tiré à quatre épingles, était armé d'une beauté froide, implacable, tranchante. Il ne troublait guère cette gravure souveraine. Monvel était un excentrique rentré, rien ne laissait présager la douce folie qui l'animait. Noctambule du début du siècle, il fréquentait Maxim's. Chaque soir, en bande, ils rivalisaient d'ingéniosité pour tromper l'ennui. Encore aujourd'hui, il se rappelle, hilare, le travestissement de son acolyte Ravaud en conducteur d'omnibus détournant les passagers vers Pontoise. Monvel était pince-sans-rire, toujours impeccable il s'amusait de toute situation, y compris les plus inquiétantes. Au milieu de la Seconde Guerre mondiale, il fit poser l'ensemble de sa famille devant la maison de campagne, chacun paré d'un masque à gaz, le cliché surréaliste trônait encadré dans l'appartement new-yorkais.

Une excentricité inscrite en 1936 dans la pierre d'une villa octogonale construite à Palm Beach, en Floride, baptisée non sans ironie « La Folie Monvel ».

Ce soir du 27 octobre, Monvel met un terme à ses exils périodiques. À bientôt soixante-dix ans, il s'est juré de ne plus mettre un pied aux États-Unis. Sa Folie Monvel a été vendue, son autre vie rapatriée en plusieurs malles, et le peintre s'apprête à profiter en France de sa retraite. Quelques mois plus tôt, un projet l'avait amusé pour un temps. En février 1948, il recevait un appel étrange de la major RKO : on lui proposait de réaliser dans les plus brefs délais le portrait d'Ingrid Bergman pour la sortie du film *Jeanne d'Arc*. Pendant plusieurs jours, dans une suite de l'hôtel Hampshire House, il avait fait poser la star épée à la main. Il l'admirait depuis *Les Enchaînés* d'Alfred Hitchcock, et se réjouissait en secret d'un fabuleux pied de nez à l'histoire familiale. Son père, Maurice Boutet de Monvel, illustrateur de la fin du XIXᵉ siècle, restait célèbre pour l'album *Jeanne d'Arc* publié en 1896, un ensemble de fresques historiques chamarrées d'aquarelles reproduites en zincotypie. La boucle est bouclée, se disait-il. Un cadeau bien involontaire de la RKO.

En cet automne 1949, la presse encense le réalisateur Victor Fleming, André Bazin parle d'un film « fidèle et émouvant ». Mais Monvel n'avait pas trouvé le temps d'assister à une projection, il terminait une dernière commande pour Mary Rogers qu'il lui faudrait livrer à la fin du mois d'octobre. Et c'est un curieux concours de circonstances qui nous vaut de compter le peintre parmi les passagers du F-BAZN. La politesse, cette indifférence organisée, lui avait joué un dernier tour. L'ultime voyage de Monvel devait s'effectuer accompagné de l'actrice Françoise Rosay par le vol du mercredi 26 octobre. À l'embarquement, l'excédent de bagages de la comédienne avait contraint de bonne grâce Monvel à lui céder sa place. Il lui assurait, heureux de son geste, qu'un ajournement ne changerait strictement rien à son programme, qu'il serait bien plus embarrassé de ne pas l'aider que de manquer cet avion, et, alliant l'élégance au bon mot, il ajoutait : « Rappelez-vous Bergson, la politesse de l'esprit n'est guère autre chose qu'une espèce de souplesse. Et ce soir, chère Françoise, vous donnez à mon esprit empirique l'occasion d'en prouver le bien-fondé. »

5

« I have the field in sight ! »

L'avion tisse les fils télégraphiques.
Philippe Soupault, *Dimanche*

Dans l'avion, le personnel de bord s'apprête à réveiller les passagers dans les couchettes, il est 2 heures du matin et selon le plan de vol, dans trois quarts d'heure, le F-BAZN se posera sur le tarmac de Santa Maria pour une escale de ravitaillement. Hormis quelques perturbations c'est un vol paisible, sans encombres. Roger Pierre transmet à l'aéroport l'heure estimée de l'atterrissage : 2 h 45. Quelques minutes plus tard, la tour de contrôle portugaise confirme l'autorisation de descente. Aux commandes, Jean de La Noüe pousse le manche et le stabilise à deux mille sept cents mètres au-dessus de la mer. Ce n'est que la troisième fois que le pilote se pose aux Açores, habitué de la route nord et de l'escale irlandaise où l'équipage se rue sur le *duty free*, jusqu'à surnommer Shannon l'aéroport du whisky.

Santa Maria est l'une des neuf îles des Açores, bouts de roches volcaniques perdus au milieu de l'océan. Son aéroport ressemble à une piste de province, un appontement sur porte-avions. Balayé par les vents, l'archipel a de tout temps été une escale, qu'elle soit maritime ou aérienne. Le dernier pas avant le grand saut. On y part, on y revient.

Trente minutes avant l'arrivée, la radio du F-BAZN signale à la tour de contrôle un retard de dix minutes sur l'horaire indiqué et demande l'autorisation de poursuivre sa lente descente à mille cinq cents mètres d'altitude. L'autorisation est donnée tandis que la tour de contrôle précise la météo au sol, un ciel dégagé et une visibilité parfaite. À l'intérieur du cockpit, Jean de La Noüe et ses deux copilotes effectuent les dernières manœuvres, concentrés et confiants, d'autant plus rassurés par les conditions atmosphériques sur l'île. À 2 h 50, le F-BAZN confirme l'horaire définitif d'arrivée, dans cinq minutes ils toucheront le sol de Santa Maria. Après avoir reçu l'ultime autorisation de routine, l'avion est en approche à mille mètres d'altitude. Les informations d'atterrissage sont transmises au Constellation, la vitesse et la direction du vent ainsi que le numéro de la piste. « Roger », répond le pilote. L'alphabet radio tout comme les énoncés ésotériques de la météo marine fascinent : Dogger, Fisher, hectopascal, fraîchissant secteur sud-ouest, Viking, échelle de Beaufort, barre de brisants, anticyclone des Açores, le fameux. Y répond en langage crypté : Alpha, Bravo, Charlie, Delta, Echo, Foxtrot, Golf, Hotel, India, Juliett, Kilo, Lima, Mike, November, Oscar, Papa, Québec, Romeo, Sierra, Tango, Uniform, Victor, Whiskey, X-ray, Yankee, Zulu. La technique et son langage, des formules assénées à coups de baguette magique. La différence entre la technologie avancée et la magie est indiscernable, hors contexte, il s'agit en somme de faire tenir des carlingues de plusieurs tonnes en lévitation.

Les passagers sont attachés, Marcel Cerdan plaisante avec Jo Longman tandis que Paul Genser a les yeux rivés au hublot. Ginette Neveu tient blotti contre elle l'étui de ses deux violons, un Stradivarius et un Guadagnini – une semaine plus tôt, elle n'en avait qu'un. Attaché aux strapontins, à l'avant de l'appareil, le personnel navigant se prépare à l'atterrissage.

Terre en vue, 2 h 51, Jean de La Noüe annonce : « *I have the field in sight !* » Le terrain en approche est plongé dans un épais brouillard, des lumières transpercent le voile céleste et l'équipage s'étonne de la pluie et de la chape grisâtre embrassant la carlingue. N'avaient-ils pas annoncé une visibilité parfaite à l'atterrissage ? L'incompréhension s'empare des trois pilotes. Sans doute une erreur de traduction qui n'a pas été rectifiée. Roger Pierre et

Jean Salvatori dans la cabine de navigation vérifient les coordonnées transmises par les balises au sol. Au-dessus du moniteur, on peut lire sur un écriteau métallique vissé à la paroi plastifiée « SORTIE DE SECOURS ». Au loin, les lumières atténuées par les nuages désignent la piste de l'aérodrome. Les trains des roues et les volets s'extirpent du ventre du F-BAZN et l'engin plonge sur l'aérodrome de Santa Maria.

À deux heures cinquante et une minutes et deux secondes, un dernier message de la tour de contrôle au Constellation reste sans réponse.

6

L'ÂGE DE NYLON

Sous leur robe, culotte, soutien-gorge,
et par coquetterie un jupon en nylon.
Elsa Triolet, *L'Âge de Nylon*

Un concours infini de causes détermine le plus improbable résultat. Quarante-huit personnes, autant d'agents d'incertitudes englobées dans une série de raisons innombrables, le destin est toujours une affaire de point de vue. Un avion modélisé dans lequel quarante-huit fragments d'histoires forment un monde. Un sondage mouvant et précipité dépassant par sa description le conformisme même des études. Une recension d'hommes, de femmes. Proportion habituelle et échantillon sociologique, comme l'écrit Charlotte Delbo dans *Le Convoi du 24 janvier* – deux cent trente femmes, deux cent trente fiches d'état-civil, des faits, des dates, des lieux alignés, qui, par la seule force de leur agencement et de leur succession, se

37

libèrent du carcan de la forme. Des vies, minuscules et immenses, des matriochkas. Six ans plus tôt, Amélie Ringler aurait pu être l'une de ces femmes. Elle aurait pu glisser dans sa sacoche une série de tracts pour la Résistance, puis être faite prisonnière politique, entassée à Romainville, le convoi, le camp. Amélie aurait eu vingt et un ans. Mulhouse n'était plus Mulhouse mais Mülhausen, territoire annexé du IIIe Reich. Dix-huit ans quand Hitler et son cortège paradaient dans les rues de la ville. Parti du col de la Schlucht, le défilé bras tendus de la Wehrmacht s'était poursuivi dans le vieux centre. Quelques jours plus tard, l'ensemble des rues était germanisé. La rue du Sauvage était renommée Adolf-Hitler-Straße, une interprétation, parfaite, qui ne dura que le temps de l'hilarité générale de la ville. Bien vite, elle hérita de sa traduction littérale, Wildemannstraße. Vingt-deux ans, le 21 novembre 1944, au matin, quand elle vit entrer stupéfaite la 6e compagnie des tirailleurs sénégalais et les troupes françaises sous le commandement du général de Lattre de Tassigny. Deux jours de bataille avant que, le 23 novembre, la 7e compagnie des tirailleurs marocains appuyée par les chars ne s'empare de la caserne Lefèbvre, dernier repli allemand.

Amélie file à bord du Constellation vers un destin qu'elle n'aurait pu espérer, une chance inouïe, proprement incroyable, accueillie dans la plus grande incrédulité quelques semaines plus tôt. Ouvrière bobineuse dans une usine de textile de Mulhouse, Amélie est l'aînée d'une famille de dix enfants. Amélie, c'est aussi le nom de la mine de potasse dans laquelle son père travaille. Au nord de Mulhouse s'étendent les puits des héritiers protestants : Eugène, Alex, Joseph-Else, Fernand, Théodore, Max, Rodolphe. La famille réside dans la cité ouvrière construite près des sites miniers par la Société industrielle de Mulhouse. Chaque matin, ses frères partent pour les mines de potasse, tandis qu'Amélie et ses sœurs sont employées de l'usine de filature Dollfus-Mieg et Compagnie – le fil à tisser DMC dont le logo s'affiche en devanture des merceries. Les sœurs Ringler sont bobineuses, des ouvrières du mouliné, ce fil à broder dont on peut séparer à l'envi les brins de coton. Des bobines, pelotes, échevettes ou cônes cardés et peignés mis en écheveaux, qui finiront au bout d'une aiguille à tisser. Autour du berceau d'Amélie nulle fée n'avait attendu tapie pour condamner l'enfant à se percer le doigt d'un fuseau, pourtant son incroyable histoire compte bien une marraine veillant sur sa destinée. C'est au cours de sa vingt-septième année qu'une lettre fit office de prophétie. La marraine avait fui l'Alsace pour les États-Unis dans les années 30, on la disait riche, personne n'imaginait à quel point. Ouvrière à Detroit, elle était devenue directrice d'une importante usine de bas nylon. Célibataire, sans enfant, elle avait tout sacrifié à son ascension. Fortune faite, elle enjoignait sa filleule de la rejoindre. C'est par un soir de septembre que la famille se réunit pour lire la lettre de la tante oubliée. Le message ne laissait planer aucun doute : Amélie serait son unique héritière. Au courrier était joint un mandat de deux cent mille francs pour couvrir le voyage.

Tout a été si rapide et, le 27 octobre à Orly, Amélie ne réalise pas encore. C'est une nouvelle qu'elle espère entendre de vive voix, une prophétie en suspens. Pour un premier voyage, elle se retrouve à seize mille pieds au-dessus d'un océan qu'elle n'a jamais vu. La veille, en transit, elle profite d'heures perdues pour flâner au Bon Marché. Elle y achète une longue robe verte, un foulard, ainsi qu'une paire de bas nylon de chez Schiaparelli. Amélie a de longs cheveux bruns attachés et couverts d'un chapeau de paille noir d'où s'échappe une courte frange. Des yeux verts en amande. Elle porte autour du cou un médaillon égyptien en argent, une amulette Ânkh, symbole de la vie éternelle. À l'intérieur du F-BAZN, c'est à côté d'une autre jeune femme qu'elle s'assoit, Françoise Brandière. Elles ont à peu près le même âge, elles pourraient être sœurs, et tandis qu'Amélie rejoindra demain Detroit en prenant un train à Grand Central Station, Françoise, sur un autre vol, sera en direction de Cuba.

Dix ans plus tard, Elsa Triolet entamera la trilogie *L'Âge de Nylon* – *Roses à crédit*, *Luna-Park* et *L'Âme*, contours d'une époque qui se cherche, entre-deux épousant l'évolution des mentalités, des goûts et des rêves. Amélie aurait pu être une de ses héroïnes, la plus belle sans doute. L'ouvrière du coton, future reine du nylon, la bobineuse de la vieille Europe, industrielle du Nouveau Monde. Le passage de l'âge de la soie à celui du nylon, du tissu vivant à l'élément de synthèse.

7

AU LARGE DES AÇORES

… 1 027 hectopascals proche des Açores, prolongé par une dorsale à 1 025 hectopascals en direction de l'Espagne.

Marie-Pierre Planchon,
Météo marine

Plusieurs minutes se sont écoulées depuis le dernier message de l'opérateur terrestre au Lockheed Constellation. L'inquiétude est palpable, l'avion devrait déjà être sur la piste numéro 1 de l'aéroport de Santa Maria. Aucun bruit, aucune lumière ou explosion ne trouble le ciel dégagé de l'île. Le F-BAZN s'est volatilisé. Au sol, les deux opérateurs de garde lancent un nouvel appel, en vain, la ligne reste muette. L'alerte est enclenchée à 2 h 53 soit 23 h 53, heure locale. Et d'emblée, les recherches se concentrent sur l'étendue marine encerclant les Açores. Le Constellation s'est abîmé en mer, nulle autre hypothèse ne semble plausible.

S'abîmer en mer, ces expressions, mots et verbes marins...

S'abîmer en mer, sillonner la mer, se perdre en mer, se jeter à la mer, prendre la mer, partir en mer, mourir en mer, jeter une bouteille à la mer, noyé, envahi, emporté par la mer, estiver, écumer, courir les mers, disparaître en mer, avoir bourlingué dans les mers du Sud, acculer, aboutir à la mer, « Un homme à la mer ! » crie le capitaine, au fond des mers, vieux loup, fortune de mer, haute, pleine, basse, qui se retire, découvre, embarque, gronde, moutonne, creuse, mine, ronge, érode les falaises, qui baigne une côte, qui scintille, brasille, brille, étincelle, se calme, calmit, baisse, reflue, écume, déferle, monte et descend, mer d'huile, de glace, de sable, secondaire, bordière, intérieure, fermée, froide, tempérée, gelée, calme, agitée, forte, houleuse, étale, tropicale, la mer d'Arthur Rimbaud infusée d'astres et lactescente, les clapotements furieux des marées, les archipels sidéraux et les îles dont les cieux délirants sont ouverts au vogueur : est-ce en ces nuits sans fond que l'avion s'endort et s'exile ?

Les bateaux de secours de l'île prennent l'océan à la recherche de l'épave, de ses survivants espère-t-on, de ses victimes craint-on. Phares vissés à la proue balayant les récifs et l'Atlantique à perte de vue. Une nuit noire, le bruit de la sirène, le va-et-vient répété des lanternes, et la crainte tenace, persistante, définitive au fur et à mesure que les minutes s'écoulent, inexorablement. Une heure et demie du matin sur l'archipel. L'aurore dévoilant les étendues océanes ne se découvrira pas avant un moment. Autour des vedettes sillonnant récifs et lointains nulle trace de quelconque avion, débris, carlingue, aucun cri de détresse ne vient percer le silence ; seul l'océan agité, le bruit des moteurs, des vagues transpercées et des clapotis contre la coque. Un silence sonore. Ce silence que l'on entend lorsqu'on effectue au moins une fois, de nuit, une traversée, un silence assourdissant, pesant, un ciel vide et empli d'étoiles, un paradoxe.

Dans *L'Almageste*, somme mathématique et astronomique, le savant grec Ptolémée proposait la première cartographie raisonnée de la voûte céleste et dénombrait mille vingt-deux étoiles et quarante-huit constellations. Aux Açores, entre chien et loup, dans un avion au nom d'astérisme, quarante-huit personnes sont portées disparues. 2 heures, 3 heures, 4 heures, 5 heures du matin, aucun signe n'éveille l'Atlantique ; en reflet dans l'infinie flaque d'eau, une Grande et une Petite Ourse, Orion et Scorpion.

8

Cinq bergers basques

Nous sommes là, nous, les bergers !
Jean Giono, *Le Serpent d'étoiles*

Mercredi 26 octobre 1949, cinq bergers basques se retrouvent sur le quai de la gare de Bordeaux-Saint-Jean. Ils rêvent de revenir au pays, fortune faite. Quatre garçons, une jeune fille, tous cultivateurs.

Thérèse Etchepare est une enfant de vingt ans aux longs yeux noirs. Elle serre son sac de toile pour ne pas pleurer. On l'engagera comme domestique dans un ranch à Tempe, dans l'Arizona. Trois mille bêtes, veaux, vaches, cochons. Elle y restera dix ans. Ensuite, elle reviendra au pays avec ses économies. Il y a deux mois, elle a pris sa décision, et, un mardi, s'est arrachée aux siens.

L'aîné des cinq bergers, Guillaume Chaurront, est un beau gaillard de vingt-huit ans. Il n'a aucun regret de quitter le pays, et il rêve depuis toujours des vastes plaines, là-bas, de la Californie.

Jean-Louis Arambel, dix-neuf ans, est le benjamin du cortège d'Aldudes. Il laisse derrière lui ses parents et trois frères. Ce sera pour eux une bouche de moins à nourrir, lui songe à un avenir meilleur. Son départ sera un départ sans larmes. Il doit rejoindre son oncle, fermier à Los Banos, en Californie. Sa chère Maritchu, qu'il embrassa longuement, la veille du départ, l'attendra bien dix ans. Ils s'en sont fait la promesse, ont scellé leur pacte sur le haut d'une colline : à son retour, ils achèteront une terre, en bas, dans la vallée.

Jean-Pierre Aduritz a lui moins à perdre, et peu à gagner. Mais il y va. À vingt et un ans, il est domestique à Aldudes depuis l'âge de cinq ans. Le contrat de berger qu'il a en poche suffit à son bonheur. Ses quatre sœurs pourront peut-être le rejoindre un jour, enfin il l'espère.

Jean-Pierre Suquilbide, vingt-cinq ans, domestique comme Aduritz, est l'aîné de sept enfants. Il n'a pas plus d'ambitions qu'un autre mais se réjouit de rejoindre Pocatello dans l'Idaho. Il désire, quant à lui, un jour, dans dix ans peut-être, faire l'acquisition d'une maison blanche au pays. Il les avait rencontrés, à l'ombre des frontons, les aïeux revenus d'Amérique, et leurs histoires de chevaux, de cow-boys, de pâturages infinis dans le Wyoming, le Texas, le Colorado, ils parlaient même *english*, pour faire sourire.

Les cinq jeunes bergers émigrent pour revenir, partent pour s'installer plus tard dans la vallée, un détour immense, seule solution qui leur est offerte. L'espoir de retrouver aux États-Unis les cousins, frères, amis déjà partis, ces bergers illustres qui avaient troqué les sentiers des Pyrénées pour des montagnes inconnues, un contrat de *ranchman* de dix, quinze ans au terme duquel ils retournaient au pays, prospères et fiers, devenaient pour les villageois « les Américains ».

Les bergers basques avaient acquis une solide réputation, on louait leur amour du travail et des bêtes. Bergers sans terre au pays, ils trouvaient, par-delà la vaste Frontière, des étendues à défricher et à cultiver. Les distances immenses étaient inédites pour ces hommes, les transhumances se déroulaient sur plusieurs mois, l'hiver dans le désert, le printemps dans des alpages à près de trois mille mètres. Un salaire de cent soixante-dix dollars d'autant plus intéressant que la monnaie était forte, le change était à l'époque de trois cent cinquante francs pour un dollar. Ce sont ainsi des centaines de bergers, cultivateurs qui émigrèrent des années 30 aux années 60 du Pays basque aux États-Unis, constituant par la force des choses une diaspora. Et tous de garder leur patois outre-Atlantique, une communauté unie, improvisant des parties de pelote dans les granges. Certains n'en revenaient pas, certains s'y mariaient, certains y sont morts. *Ohore zuri euskal artzaina*

– « Honneur à toi berger basque », inscrivait-on alors en épitaphe, ou ces vers de Grégoire Iturria :

Tranpa gorria
Hunarat etorria
Untsa urrikitia
Fitesko hustu behar tokia.

Venir ici est un piège
Un regret
Un lieu à vite quitter.

Dans le train, les cinq bergers escortés par M. Monlong bavardent fort. Les trois Jean d'Aldudes – Jean-Louis Arambel, Jean-Pierre Aduritz et Jean-Pierre Suquilbide – se chicanent comme le font des parents lointains. Les trois villageois ont tôt fait de trouver chez Guillaume Chaurront et Thérèse Etchepare un cousin commun. La vallée, c'est une grande famille. En wagon de seconde classe, le compartiment des bergers résonne du dialecte du pays Quint, le bas-navarrais occidental, recensé par le prince Louis-Lucien Bonaparte dans sa *Carte des sept provinces basques* publiée en 1863. Ils ne cessent de chanter les airs du pays, Jean-Louis entonne « Au mois d'été, la caille chante dans les blés ». À la tristesse du départ, à la nostalgie de la vallée laisse place le parfum de la belle aventure, de frontières intérieures repoussées à mesure de l'avancée. Derrière eux, les neuf cent vingt habitants restés au pays, les frontons, les maisons blanches aux volets et portes marron, la perspective coupée par la Nourèpe, le torrent du village. On parle de l'avion, s'envoler, quelle folie.

Gare d'Austerlitz, le groupe découvre Paris. À l'hôtel du Terminus, carte en main, ils épinglent les incontournables visites. Le jeudi 27 octobre, M. Monlong immortalise du haut de la tour Eiffel leur périple. Sur cette photo de groupe, de gauche à droite, les deux Jean-Pierre, Guillaume et Jean-Louis ; au centre, assise, une petite brune regarde fixement l'objectif, c'est Thérèse. Sur le cliché, inscrits en haut à la plume, dans le ciel parisien, le lieu et la date.

Dans l'aérodrome d'Orly, les bergers se collent aux basques et se regroupent au fond de l'avion, continuant ce dialogue ininterrompu depuis la gare de Bordeaux. À l'excitation succède l'angoisse du vol, l'appareil se niche entre deux nuages, la parole se libère. Cerdan est à une dizaine de mètres. Ils n'en reviennent toujours pas.

9

VOLUTES

Les aubes sont navrantes.

Arthur Rimbaud, *Le Bateau ivre*

Le jour se lève sur l'archipel des Açores. Les bateaux des autorités portugaises espèrent toujours repérer des traces du Constellation. Huit avions décollent de la piste de Santa Maria à la recherche du F-BAZN. Ils survolent l'île, la chaîne montagneuse de la Serra Verde, le Pico Alto, scrutent de long en large cette roche émergée par la seule force d'un volcan. Santa Maria est une île océanique, avec quelques milliers de bergers et pêcheurs isolés sur ce paquebot immobile au milieu de l'Atlantique, et ce matin du vendredi 28 octobre 1949, les avions tracent les contours d'une séparation dessinée par les diagonales des traînées de condensation. Des hachures blanches comme une cartographie de l'archipel.

Plusieurs heures s'écoulent, le Constellation reste introuvable, volatilisé dans un triangle des Açores.

L'avion de recherche de Paulo Gomes s'éloigne de la zone ciblée par les autorités et s'aventure plus au nord, plus au large, en direction des îles de São Miguel et Terceira. Une intuition. À mi-distance de Santa Maria et São Miguel, l'aviateur aperçoit, détaché du mont Redondo, tel un signal indien, un nuage de fumée. Volutes dressant le mont quelques mètres plus haut, au-dessus de sa ceinture de brume, les blancheurs télégraphiques chantent :

Vos luttes partent en fumée
Vos luttes font des nuées
Des nuées de scrupules.

Paulo Gomes poursuit cap au nord et survole le mont Redondo, à mille deux cents mètres d'altitude, tourne autour du pic et découvre la carcasse disloquée du Constellation embrasée à flanc de colline. Les ailes arrachées, à quelques centaines de mètres en contrebas, les vestiges du quadrimoteur. Le réservoir consume au centre les derniers litres de kérosène de l'appareil. Autour de l'échassier démembré des silhouettes qui semblent être des survivants s'agitent.

Vos luttes partent en fumée
Sous les yeux embués
D'étranges libellules.

51

L'espoir reprend à bord de l'avion de recherche et le pilote en informe le centre de contrôle. Quelques minutes plus tard, les autorités de Santa Maria télégraphient à Lisbonne : « AVION F-BAZN RETROUVÉ PIC ALGARVIA SITUÉ NORD-EST SÃO MIGUEL – STOP – AVION DIT IL Y A SURVIVANTS – STOP – SE REND SUR PLACE – STOP. » Le message est capté par Air France, en ce début d'après-midi, à Paris. Tandis que les bateaux de l'île se dirigent vers São Miguel, la compagnie aérienne dépêche par avion sa propre mission de sauvetage.

Vos luttes partent en fumée
Vers des flûtes enchantées
Et de cruelles espérances
Me lancent
Des dagues et des lances
En toute innocence.

10

D'UN ACCIDENT L'AUTRE

Une succession d'événements qui, en s'enchaînant, s'annuleraient.

Georges Perec, *La Vie mode d'emploi*

Une tragédie peut en cacher une autre. Quand Jenny Brandière revient en France en juin 1949, c'est pour se précipiter au chevet de l'une de ses filles, Françoise. À La Havane, rien ne laissait présager en ce début d'été le drame qui se jouait à Paris. Françoise, étudiante en licence d'espagnol à l'Institut des langues, logeait depuis un an dans l'appartement familial, boulevard Malesherbes, dans le XVIIᵉ arrondissement, non loin de l'avenue de Wagram et de la paroisse Saint-François-de-Sales. C'était l'été de ses vingt et un ans. Au retour d'un rallye organisé par ses cousins, entre Melun et Paris, la Citroën traction avant 11 CV conduite par Gérard, un ami, avait percuté de plein fouet un arbre au bord du chemin, par-delà le pare-brise en éclat, le capot fracassé, pliant aux roues le sigle de guillemets, fumant à même le tronc blessé, les deux passagers éjectés. Françoise était conduite grièvement blessée à l'hôpital, plongée dans le coma à la suite d'un traumatisme crânien. Sa sœur aînée, Monique, sa tante, Denise, la veillaient entre la vie et la mort, on la disait condamnée. Elle avait subi une série d'interventions en urgence. Ses deux jambes avaient été brisées. Dans le couloir, assis sur un tabouret, les traits tirés, un ami de la famille, le chef d'orchestre Charles Münch.

Prévenue immédiatement, Jenny avait pris le premier vol La Havane-Paris via New York. À son arrivée, le pronostic des médecins était encore réservé. C'est en l'observant inconsciente qu'elle se fit la promesse de la ramener à Cuba. Quelques jours plus tard, le professeur Puech décida une trépanation, l'évacuation de l'hématome la sortit du coma. L'opération avait été une réussite, elle revenait peu à peu à la vie. On la transférait à la clinique des Diaconesses, une longue et pénible convalescence, par étapes, les visites se faisaient plus longues, les bribes de mots devenaient phrases, puis discussion, questions, réponses. Elle boiterait. Au mois d'août, les premières balades dans la propriété de l'Yonne. Elle demandait à se rendre sur les lieux de l'accident, un cliché la montrait arborant au pied de l'arbre le sourire de la rescapée, canne à la main, elle foulait l'herbe de ce bord de départementale. Septembre, elle retrouvait l'appartement du boulevard Malesherbes. Il était décidé qu'elle ne se réinscrirait pas à l'université l'année suivante. Elle partirait pour Cuba à la Toussaint. À l'autre bout du monde, un mari, un père, Jean Brandière, malade, précipite le départ, ce sera le 27 octobre.

En 1899, six cent dollars en poche, Albert Brandière débarquait sur ce qui n'était encore qu'une colonie espagnole, et y créait une entreprise d'import-export de marchandises françaises. Dans ses valises, entre deux chemises, paires de bretelles et de chaussettes, les produits phares des marques Guerlain et Vichy, vitrine en cuir d'une industrie qu'il espérait importer. L'affaire bon an mal an prenait de l'ampleur, concentrait son activité pour devenir le bureau de représentation des produits pharmaceutiques français. Le laboratoire Brandière emballait la matière première et proposait à La Havane un comptoir de médicaments de la Vieille Europe. En 1927, il fut décidé que le fils aîné, Jean, reprendrait l'affaire. Septembre 1939, les bruits de bottes se répondaient d'un hémisphère l'autre, les Brandière rentraient en France par un bateau au pavillon américain. Officier de réserve de l'armée française, Jean était fait prisonnier. Deux ans à l'Oflag XIII, père de quatre enfants, il était libéré. Revenu à Paris, affaibli par une tuberculose rénale, n'oubliant pas ses compagnons d'infortune restés en Allemagne, il s'engageait à la Croix-Rouge militant pour leur retour. La capitulation signait le retour de la famille à La Havane, du laboratoire ne restait que le seul nom Brandière inscrit en mosaïque sur le pas de la porte, la poussière et les vitres cassées tapissaient le carrelage autrefois brillant des paillasses blanches de l'avant-guerre. Jean contractait plusieurs emprunts, relevait l'affaire, élevait un nouvel édifice, et poursuivait l'œuvre d'Albert.

Désormais, Cuba était le bordel et le casino des États-Unis. Sous la houlette de Lucky Luciano et de son maître d'œuvre Meyer Lansky, La Havane, État dans l'État, devenait le terrain de jeu de la mafia italo-américaine. L'hôtel Nacional en était le quartier général. Noël 1946, Lucky Luciano, tout juste sorti de prison, y organisait le grand rassemblement de la pègre. Des accords de Bretton Woods à la sauce mafieuse, mille participants au total, dont les cousins Capone, Charlie, Rocco et Joseph Fischetti, arrivés par avion avec Frank Sinatra dans les bagages. À l'ordre du jour : le contrôle des casinos de l'île, la liquidation de l'endetté Bugsy Siegel, l'arbitrage du conflit opposant les deux Albert – Anastasia et Genovese –, et, bouquet final, Lucky Luciano, « *capo di tutti capi* », annonçait son retour définitif en Italie, à Naples. Un Cuba prospère et corrompu. En 1947, Fidel Castro était encore un jeune docteur en droit, les prémices de la révolution se jouaient alors en République dominicaine, lieu des premiers engagements contre le dictateur Trujillo. Et en octobre 1948, Fidel épousait la sœur du ministre de l'Intérieur, l'homme fort du régime qui avait, quelques années plus tôt, donné raison aux Américains contre les Français dans le contrôle de l'industrie de la banane.

Laboratoire Brandière, la révolution cubaine est encore loin. Le 27 octobre 1949, les malles de Jenny et Françoise sont chargées dans le taxi, direction l'aéroport d'Orly, mère et fille retournent à La Havane.

11

ALGARVIA

Ils scrutent le zénith convoitant les guinées
Que leur rapporterait le pillage du fret.

Serge Gainsbourg, *Cargo Culte*

Le quotidien *France-Soir* pouvait imprimer jusqu'à sept éditions différentes dans la même journée. Dans la quatrième du vendredi 28 octobre 1949, le quotidien de Pierre Lazareff propose des pages spéciales sur la tragédie des Açores et retrace le « film de l'attente » :

9 h 26 – Un communiqué d'Air France annonce qu'on éprouve une grande inquiétude sur le sort de l'avion à bord duquel ont pris place Marcel Cerdan et trente-six autres passagers :

« Des recherches ont été aussitôt entreprises par avions et par bateaux. Elles n'avaient encore donné, à 9 heures, aucun résultat. »

9 h 50 – Premier détail. Le Constellation a envoyé son dernier message à 3 h 55 : il s'apprêtait alors à atterrir aux Açores. Depuis, silence.

10 h 15 – Un représentant d'Air France déclare que l'absence de contact avec l'appareil peut provenir des difficultés techniques : les conditions atmosphériques sont défavorables aux transmissions par radio.

10 h 25 – Paris garde le contact avec les îles portugaises et l'on peut dire, d'ores et déjà, que l'avion n'a pas atterri à Santa Maria.

10 h 50 – On annonce à Orly que l'avion s'est perdu en mer au large des Açores.

11 h 30 – Aucune trace de l'avion. Mais on conserve toujours l'espoir, bien faible d'ailleurs, que l'appareil ait pu atterrir dans l'une des petites îles de l'archipel. On ajoute qu'au moment où il survolait l'aérodrome des Açores il disposait encore de quatre heures d'essence. Il possède des canots de caoutchouc et, s'il a été contraint d'amerrir, les passagers et les membres d'équipage ne seraient pas forcément perdus.

12 h 10 – On déclare à Orly que l'avion aurait atterri à sept minutes de l'aérodrome de Santa Maria. Quelques minutes plus tard, Air France dément.

13 h 13 – Coup de foudre : les débris du Paris-New York ont été repérés par l'un des avions qui le recherchaient sur le sommet du mont Algarvia, dans l'île de São Miguel, à 75 kilomètres de Santa Maria.

15 heures – Nouvelles contradictoires : on a vu l'avion tomber en flammes. Mais on a aperçu des survivants : ils auraient fait des signaux au pilote de l'appareil de sauvetage.

Tandis qu'à Orly, dès le petit matin, le ballet aérien a repris, dans la salle du personnel chacun évoque les souvenirs des collègues disparus aux Açores. Les hôtesses, leur amie Suzanne Roig, une chic fille, fatiguée du métier et qui parlait de le quitter. Les pilotes, eux, se rappellent des blagues de Charles Wolfer, et du mariage de Raymond Redon deux semaines plus tôt avec une jeune Algérienne. On croit encore au miracle, peut-être ont-ils survécu ? Une foule de journalistes aux aguets traquent le moindre témoignage, Henri, le barman de l'aéroport, est mis à contribution : « Ce n'est pas possible. Hier soir, j'ai encore servi Marcel. Il était à ce coin du bar où il s'installait toujours, distribuant des autographes. »

Dans le hall d'embarquement se présente un passager en provenance de Lydda en Palestine. Son avion retardé à Rome par les conditions atmosphériques lui a fait rater sa correspondance pour New York avec le Constellation F-BAZN. Il est furieux, tempête à grands cris, tout à coup, sa colère tombe, l'hôtesse au comptoir d'embarquement lui apprend que l'on est sans nouvelles du Paris-New York du 27 octobre.

La cellule de crise d'Air France est à pied d'œuvre depuis le milieu de la nuit. Après avoir capté le télégramme de l'aviation portugaise, la direction de la compagnie mobilise sa propre mission de secours. Max Hymans, le directeur, et Didier Daurat, chef d'exploitation, nomment à la tête de cette mission l'inspecteur de l'aviation civile, Charles-Henri de Lévis-Mirepoix. Proche du général de Gaulle dont il fut l'attaché du cabinet militaire à Londres, le duc de Lévis-Mirepoix est un de ces aristocrates des airs, lointain cousin du capitaine de Boïeldieu de *La Grande Illusion* de Renoir. Il a d'ailleurs un faux air de Pierre Fresnay et, sur les photographies en uniforme, porte gants blancs. Il y a quelques semaines, il publiait chez Arthème Fayard une somme sur l'histoire de l'aéronautique, *Le Siècle de l'avion*.

À midi décolle la mission Air France, aux côtés de Lévis-Mirepoix, Fabre, Fournier, Marion et Genouillac. Tenue informée tout au long du trajet de l'avancée des recherches, la mission française tente, en vain, de se poser sur l'île de São Miguel. La piste n'est pas adaptée et, à 17 heures, leur avion est contraint de se replier sur l'aérodrome de Santa Maria. Ils devront attendre une nuit avant de rejoindre l'île du drame.

Les premiers secours portugais débarquent au port de Ponta Delgada deux heures après le signalement de l'avion de recherche. L'équipe est rejointe par des locaux et poursuit sa route vers Algarvia, le village au pied du mont Redondo. En début d'après-midi, accompagnée des villageois, l'équipée se rend sur le lieu du crash. Quelque huit cents mètres à gravir, sur des sentiers escarpés et boueux, avant d'atteindre l'épave de l'appareil. À l'extrémité du pic, avachi et disloqué, le F-BAZN brûle encore. La tôle fracassée du fuselage s'étale en plaques difformes et calcinées. Le Connie n'est plus que ferraille dispersée. Le brouillard se mêle à l'incendie pour ne former qu'un seul et même nuage balayé par les vents. Pulvérisées, les ailes ont creusé la terre fangeuse tandis que les pales des hélices détachées et couchées composent les dernières marches du mont. Aucune trace des survivants dans ce spectacle de désolation. Les secours font l'amer constat que les silhouettes aperçues plus tôt déambulant autour des débris n'étaient que les pillards du village. La cargaison et les effets personnels du Constellation ont été dévalisés durant la matinée. La veille, les paysans avaient été tirés de leur sommeil par une explosion. Scrutant le ciel, ils avaient aperçu à la cime du pic un grand incendie. Les plus téméraires avaient accouru en pleine nuit.

Le mont Redondo s'élève à mille mètres d'altitude et forme en son sommet une sorte de mamelon ; l'avion, dans son ombre, repose. Le Constellation est venu frapper de plein fouet la crête. À pleine vitesse, il s'est enfoncé, séparé, dévissé tout le long des pentes. Fondus dans l'appareil, ou éjectés, ce ne sont plus que corps noirs défigurés. La zone de travail est rapidement délimitée et l'équipe portugaise regroupe à même le sol les passagers. L'identification des victimes s'avère d'ores et déjà une vraie gageure.

La sixième édition de *France-Soir* éteint tout espoir :

18 h 07 – Selon un télégramme de Santa Maria :
« Pas de survivants. »
13 h 10 – Selon les habitants du village d'Algarvia, l'avion a pris feu en percutant les rochers de la montagne.
18 h 13 – On est fixés. Le désastre est immense. Air France vient de communiquer : « Les équipes de secours ont atteint l'épave ; il n'y a pas de survivants. »

Le soir même, le prince du Pakistan, Ali Khan, mari de l'actrice Rita Hayworth, échappe à un accident d'avion. L'appareil se pose en catastrophe sur le terrain de Croydon, dans la banlieue de Londres, quelques instants après l'avoir quitté. Il atterrit sans dommage avec un seul moteur. Ali Khan monte aussitôt à bord d'un autre avion.

12

LA CINQ MILLIONIÈME MONTRE MICKEY

> *Lorsque les trains déraillent, ce qui
> me fait de la peine, ce sont les morts de
> première classe.*
>
> Salvador Dalí

Dans une lettre adressée au vice-président de sa compagnie, postée la veille du départ, le mercredi 26 octobre 1949, Kay Kamen s'amusait à rappeler à son plus proche collaborateur sa phobie de l'avion. C'était une blague entendue, tant l'homme d'affaires était sujet à ce que les médecins nomment *aviophobie* ou *aérodromophobie*. Le drame de Superga, le 4 mai 1949, n'avait rien pour le rassurer. À bord de l'appareil, un Fiat G212, la totalité de l'équipe de football du Torino avait péri, s'écrasant sur la basilique de Superga, au-dessus de la plaine du Pô. Quelques-uns des plus fameux joueurs de l'après-guerre, tout juste auréolés de leur cinquième *scudetto*.

Une tragédie pour les *tifosi* turinois et pour l'Italie tout entière.

Mais c'était davantage pour Kamen un sujet de plaisanterie qu'un réel handicap dans son travail. Il plaçait ses affaires au-delà de toute peur. N'avait-il pas joué sa carrière sur un coup de poker un matin de juillet 1932, en déposant comme l'on fait tapis au casino cinquante mille dollars sur le bureau d'un certain Walt Disney ? C'était un homme de l'ombre, mais quelle ombre, le roi du merchandising, l'inventeur de l'un des modèles économiques les plus prospères du xxᵉ siècle : l'exploitation des produits dérivés des dessins animés. Un petit homme bougon dissimulant son jeu derrière des lunettes rondes à grosses montures, assurant autant son sérieux que, paradoxe, sa fantaisie par une raie impeccablement peignée en son milieu. Par son sens des affaires, il avait été le bon génie des frères Disney, leur planche de salut, le Jiminy Cricket du studio.

Ce sens des affaires, Kamen l'avait acquis d'expérience. Son premier gros coup avait été de commercialiser les produits dérivés d'une série à succès des années 20 produite par Hal Roach, *Our Gang*, *The Little Rascals*, « Les Petites Canailles ». L'histoire d'une bande de gamins pauvres dans le Sud des États-Unis menée par Spanky, le chef obèse, et composée d'Alfafa, le héros fil de ferrique, la jolie Darla, Porky le benjamin, son acolyte Buck, le petit Noir, et leur jack russell, Pete.

Le grand mérite de la série avait été de privilégier le jeu libre des enfants, bien loin des caricatures de l'époque. Kay Kamen y développait les bases d'une stratégie qui trouverait son apogée, quelques années plus tard, avec l'exploitation des personnages Disney. Il avait su tirer le meilleur parti du succès de ces courts films. Les nombreux produits dérivés allaient des figurines à l'effigie des héros aux trousses, cartables, bandes dessinées, magazines, jusqu'aux bonbons, les Spanky Candy et chewing-gums Petites Canailles. L'identification des gamins du pays aux chenapans de Roach en fit une fabuleuse planche à billets.

Comme bon nombre d'Américains, Kay perdit à peu près tout lors de la crise financière de 1929. Redevenu simple vendeur à New York, il s'intéressait de près aux premières créations des studios Disney. Un an plus tôt, Walt imaginait dans un train entre New York et Los Angeles, une souris aux grandes oreilles, nommée d'abord Mortimer Mouse puis Mickey Mouse. L'emblème du studio était présenté au public, accompagné de Minnie et de Pat Hibulaire, le 18 novembre 1928, au Colony Theater de Broadway, lors de l'avant-première de *Steamboat Willie*, premier dessin animé avec son synchronisé. Sept minutes durant lesquelles le rongeur embarque Minnie par la culotte à l'aide d'une grue, fait tournoyer un chat par la queue, étrangle une oie, et transmue trois petits cochons accrochés aux mamelles de leur mère en un astucieux piano. De nouveaux personnages apparaissaient, Pluto le chien, d'abord, puis Donald Duck. Mickey s'exportait et devenait Topolino en Italie, Miki Kuchi au Japon. Le Technicolor allait révolutionner l'univers du dessin animé et Walt en négocia l'exclusivité pour deux ans. En 1932, *Silly Symphonies*, « Des arbres et des fleurs », recevait l'oscar du meilleur court métrage d'animation, et Walt, une statuette d'honneur pour l'invention de Mickey. Dès lors, quoique déficitaire, le studio s'imposait comme le symbole de l'industrie naissante du divertissement. L'exploitation des produits dérivés de la compagnie en était à ses balbutiements, et la rencontre avec Kay Kamen précipita l'explosion du merchandising, transformant le studio en empire.

En juillet 1932, quand Kamen force la porte des frères Disney, il abat sa dernière carte. Une partie à quitte ou double. Le plus grand coup de bluff de sa carrière, un contrat insensé : cinquante mille dollars de revenus garantis par an pour Disney sans que le studio ne dépense un seul cent, en contrepartie lui garderait la moitié des futurs et hypothétiques bénéfices du merchandising. Une proposition qu'ils ne pourraient refuser. Pour ce faire, Kamen clôtura son assurance-vie et fit une hypothèque sur sa maison, puis, la mise réunie, il sauta dans le premier train pour Hollywood, sans payer son billet. Quatre jours de voyage durant lesquels il répéta son argumentation, eut le temps d'imaginer jusqu'à l'épuisement les réactions de ses interlocuteurs, d'affirmer sa position, de s'inventer un aplomb digne d'emporter l'adhésion des deux frères. La certitude de la réussite économique de l'affaire n'enlevait rien au caractère forcément aléatoire de l'entreprise. Il le savait. Et essayait à tout prix de dissimuler l'angoisse qui l'habitait. Les contrats avaient été solidement préparés, une assurance tous risques pour les studios en échange de l'exclusivité des licences de produits dérivés Disney. Sans rendez-vous, il fit le pied de grue au secrétariat, pendant plusieurs jours, jusqu'à obtenir le précieux sésame : Kay se présenta le 1er juillet dans le bureau des frères Disney, son avenir dans un porte-documents, son va-tout entre deux paraphes. Après les présentations d'usage, il joua de l'effet de surprise et, tout en détaillant son projet, sortit le contrat et les cinquante mille dollars en cash. Quelques minutes plus tard, les trois hommes signaient et trinquaient à cette association.

L'exclusivité obtenue, la Kay Kamen Company fit le ménage dans l'ensemble des licences existantes et lança l'exploitation des produits dérivés du studio. Un pari réussi, puisque, dès Noël 1932, Kay Kamen put, au grand étonnement de ses partenaires, reverser deux millions et demi de dollars au titre des royalties sur les licences et empocher selon les termes du contrat la même somme.

Une réussite fulgurante dont la base avait été le lancement, dès le mois d'août, de cornets de glace Mickey Mouse. À la fin de l'été, dix millions de ces gaufrettes avaient été vendues. Le coup de bluff s'avérait un coup de maître, *Citizen* Kay était né. Ce même été, tandis que les badauds s'empiffraient de gaufrettes, l'incendie sur Boardwalk et Surf Avenue dévastait Coney Island. Agglutinés sur la plage, des milliers de vacanciers observaient sans voix le désastre né d'allumettes grattées par des gamins.

Celui que Walt commençait à surnommer « MicKay Kamen » ne s'arrêta pas en si bon chemin et, sous son impulsion, le *Mickey Mouse Magazine* fut lancé en 1933. Le mensuel, subventionné par les producteurs de lait, était distribué dans les salles de cinéma et les grands magasins, engendrant une manne publicitaire inespérée. Kamen faisant feu de tout bois, et malgré la grande dépression qui poussait des millions d'Américains sur les routes, il imagina l'opération commerciale la plus rentable de l'histoire du studio : la montre Mickey Mouse. L'homme d'affaires fit lui-même le croquis du prototype, la souris peinte au centre du cadran indiquerait de ses grosses mains gantées l'heure, secondes et minutes s'entrecroiseraient, animant simultanément le personnage. Trois petites souris aux pieds de la grande feraient office de chronomètre. L'idée fut vendue au fabricant de montres Ingersoll-Waterbury Clock

Company, une société frappée de plein fouet par la crise et au bord du dépôt de bilan en 1933. La montre Mickey sauva la compagnie de la faillite. Le succès fut sans précédent. La première année d'exploitation, au grand magasin Macy's à New York, onze mille montres furent vendues. Dès 1935, deux millions cinq cent mille montres Mickey avaient été écoulées, et Ingersoll reversait près de deux cent cinquante mille dollars de royalties à Disney. Kamen répondait à sa manière à la promesse du président Herbert Hoover d'un poulet dans chaque foyer en attachant une montre au poignet de millions d'enfants américains. Et il se fit une spécialité de sauver à travers son système de licences des entreprises en faillite, les trains Disney à un dollar vendus sur une draisine contribuèrent ainsi au renouveau de la Lionel Corporation. Les catalogues édités par le businessman durant les périodes de fêtes participèrent également à la croissance exponentielle des produits dérivés Disney. Les campagnes de merchandising orchestrées par Kamen portaient leurs fruits, allant jusqu'à faire la promotion même des personnages du studio, ainsi des marionnettes des trois petits cochons et du grand méchant loup, best-seller de l'année 1934. La Kay Kamen Company grandissait, l'homme d'affaires étendait son modèle. Capitalisant sur le succès planétaire de *Blanche-Neige*, il fit traduire en dix-neuf langues son catalogue. Un maigre investissement au regard des profits générés quelques mois plus tard par les droits des licences à l'étranger. À chaque sortie, la même stratégie commerciale était déployée, confiseries, figurines, vêtements, jouets à l'effigie des personnages remplissaient le catalogue de ventes. En 1938, les royalties sur le seul nain Simplet généraient des centaines de milliers de dollars.

Seule la Seconde Guerre mondiale stoppa la montée en puissance de la firme Disney. La compagnie assit alors sa popularité par sa participation à l'effort de guerre. Le 14 juillet 1942, les studios, en association avec la Lockheed Aircraft Corporation (la compagnie qui produira le Constellation…), réalisèrent un dessin animé sur les techniques de rivetage des avions, un mode d'emploi sous forme de court métrage intitulé *Four Methods of Flush Riveting*, à destination des employés enrôlés par le gouvernement américain. Les dessinateurs réquisitionnés conçurent tout au long du conflit des courts métrages animés à l'usage des régiments – allant du maniement des armes aux stratégies militaires – ainsi que des films de propagande tels que *Der Fuehrer's Face* ou *Victory Through Air Power*. Un engagement de circonstance, et un drôle de destin pour des studios dont les productions furent parmi les plus appréciées des dictateurs : Hitler ne considérait-il pas *Blanche-Neige* comme un chef-d'œuvre ?

N'avait-il pas réalisé lui-même, admiratif, des reproductions des sept nains et de Pinocchio ? Et Mussolini n'avait-il pas invité Walt Disney en 1935 à la Villa Torlonia pour discuter des *Trois Petits Cochons* et de Mickey Mouse ?

Après guerre s'affirmait l'irrésistible ascension des studios Disney et avec elle l'entreprise de Kay Kamen. Dès 1947, la compagnie de Walt Disney enregistrait dans ses comptes un million quarante-huit mille cinq cent vingt-deux dollars de revenus pour le seul merchandising. Walt ne manquait jamais une occasion de se féliciter de ce partenariat, et de louer et la fidélité et le génie de Kay Kamen. En 1949, une grande fête fut organisée pour célébrer la cinq millionième montre Mickey Mouse vendue. Toutes ces attentions cachaient pourtant la volonté des frères Disney de s'affranchir peu à peu de la Kay Kamen Company. Quelques semaines avant le vol du 27 octobre, Kamen voyait remis en cause le renouvellement d'un contrat qu'il considérait, au regard des revenus générés, comme acquis. D'âpres négociations furent entamées afin de réduire le champ d'action de l'homme d'affaires au seul marché intérieur américain, et, durant les longues heures de tractations, Kamen, amer, eut le sentiment d'avoir été trahi par ceux qu'il avait pourtant si souvent sauvés de la faillite. Une fois le travail accompli par d'autres, la firme cherchait à présent l'optimisation de ses recettes, Kamen en faisait les frais.

Lorsqu'il se rend à Paris avec sa femme, Ketty, en octobre 1949 pour la promotion des produits dérivés du film *Cendrillon*, les nouvelles conditions du partenariat n'ont pas encore été signées. Les négociations reprendront à son retour et devront à tout prix être conclues avant le début de l'année 1950. Le destin en voulut autrement. Quelques semaines plus tard, les studios décident la création d'une division interne des produits dérivés, la Disney Consumer Products.

Lors d'un dîner à la Warner en 1945, Walt Disney propose à Salvador Dalí la création d'un court dessin animé sur le modèle de *Fantasia* intitulé *Destino*. L'histoire de l'amour du dieu du Temps, Chronos, avec une mortelle, que Walt résume d'une phrase : « *A simple story about a young girl in search of true love.* » Séduit par l'idée, Dalí y voit le moyen d'animer l'univers de ses toiles, de mettre en mouvement le labyrinthe du temps, comme il l'écrit. Pendant près de huit mois, le peintre se rend aux studios Disney et aidé du dessinateur John Hench imagine le déroulé du court métrage. Trop coûteux et hermétique, le projet est abandonné. Reste quelques esquisses, un story-board où une femme évolue, sur fond de musique andalouse, dans les peintures de Dalí, des déserts infinis peuplés de dieux surréalistes où des montres molles gisent. Y voit-on une de ces cinq millions de montres Mickey, brisée et dégoulinante sur la carcasse d'un Constellation comme une Persistance de la Mémoire accrochée au *Destin* ?

13

SUR LES PENTES DU REDONDO

Un tas de gravats déversé au hasard :
le plus bel ordre du monde.

Héraclite, *Fragments*

Aux premières lueurs du jour, la mission française menée par l'inspecteur de l'aviation civile Lévis-Mirepoix embarque à bord d'un coucou de l'aérodrome de Santa Maria à destination de Ponta Delgada. Ordre est donné par les autorités portugaises de ne déplacer sur le site aucun débris du Constellation avant l'arrivée de la commission mandatée par leur pays. Trois heures plus tard, en compagnie des consuls britannique et américain, l'équipée se trouve au pied du mont Redondo. Sous une pluie tenace, et par des sentiers que noie une boue glissante, mouvante et collante, ils entament la longue ascension jusqu'au lieu du crash. À l'issue de plusieurs heures de marche, ils atteignent l'appareil et rejoignent les secours dépêchés la veille sur l'île. Ils y découvrent sur près de vingt-cinq hectares un lieu de désolation enveloppé dans une chape de brouillard épais aux nappes humides et laiteuses. Les flammes ont consumé les débris éparpillés aux quatre vents, et mis à part cinq cadavres plus ou moins reconnaissables, il semble impossible à première vue d'identifier dans ces membres épars, dispersés entre les rochers, les victimes du Constellation. L'avion gît écartelé, sa carcasse de duralumin tordue, dépecée et souillée par le feu, ne reflète plus rien de son métal brillant. Une partie de la carlingue ouverte en son toit, enfoncée dans le sol, paraît presque intacte, un morceau ou plutôt un plan de coupe du F-BAZN à ciel ouvert, où, harnachés aux sièges, une dizaine de passagers demeurent. Le cône de queue planté à la verticale défie en Samothrace l'archipel. Plus loin, la cabine de pilotage renversée, après avoir roulé jusqu'à s'encastrer dans le roc, tient presque en lévitation. À l'intérieur, à des fragments de leurs uniformes, on devine le personnel navigant. Seul le visage du troisième pilote, Camille Fidency, est intact. Comme un moulage de Pompéi, le jeune homme, dans un dernier geste de détresse, protège, d'un bras levé au-dessus du front, son regard de l'imminente catastrophe.

Après un travail de fouille éreintant, à quelques dizaines de mètres, la mission fait une autre découverte. Près du cadavre d'une jeune femme, dont la robe cramoisie est brûlée aux entournures, un étui à violon ouvert contient un archet brisé. Ils pensent immédiatement au corps de la violoniste Ginette Neveu, mais seule la proximité permet de le déduire. Plus loin, une enveloppe de cellophane protège la carte d'identité du manager de Marcel Cerdan, Jo Longman, mais nul corps dans les parages ne permet d'opérer un tel rapprochement. Penchés, les inspecteurs français photographient au Rolleiflex les décombres ; dans la chambre de l'appareil émergent par le truchement de l'objectif les morceaux disparates du *Constel'* – sous leurs pieds, la tôle froissée en damier ressemble pour peu que l'on s'éloigne à un château de cartes écroulé. Les pentes du Redondo sont jonchées de bijoux, billets de banque, malles éventrées dégueulant leurs effets, et autres objets de valeur éloignés de leurs propriétaires et oubliés des pillards. Entre deux broussailles, un portefeuille en cuir marron, propriété d'un citoyen américain, John Abbott. Ici, un bout d'étoffe vert, non loin, la robe recouvre les jambes blessées d'un énième cadavre. Là, un bouvreuil picore le sporange d'une fougère, et dans le massif, couché sur la mousse céladon, un bras.

Du désordre s'extirpe une beauté troublante. Essaim d'abeilles, les monades répandues dans l'air composent, recomposent, décomposent en pointillistes une toile d'apparence chaotique. Leibniz dans sa défense de l'harmonie d'un dessein divin usait de la métaphore picturale. Supposez, nous dit le philosophe, que vous vous trouviez devant un magnifique tableau recouvert par un voile opaque de telle sorte que vous n'en puissiez voir qu'une infime partie ; cette partie vous paraîtrait sans doute une tache de couleur informe, un pâté absurde appliqué au hasard sur la toile ; mais ôtez le voile et ce qui vous semblait exécuté sans art prendra soudain sens et révélera l'habileté de l'artiste. La tache n'est laide qu'isolée et pour autant qu'on la contemple au mépris du tout dont elle est une partie. La laideur n'avait rien d'objectif, elle était seulement l'effet d'une vue tronquée, et elle disparaît aussitôt qu'on met en rapport la partie avec l'ensemble. Le chaos est une affaire d'échelle, et, à hauteur d'homme, le pic enfumé tel le voile opaque de la *Théodicée* cache la perspective d'un ordre planifié.

Les secours poursuivent la reconstitution du puzzle du F-BAZN. D'un corps solide aérodynamique et étincelant l'avion est disséminé en un amas de tôles. L'odeur moite du caoutchouc brûlé se mêle en infimes volutes à la bruine, résidus enflammés qui, s'envolant, s'allient en fines couches noirâtres sur les vêtements des sauveteurs. Des petits objets d'abord négligés permettent maintenant de mettre un nom sur les cadavres démis. À la nuit tombée, quarante victimes sont identifiées. Parmi ces pièces de puzzle déversées au hasard, une montre attachée au poignet d'un cadavre livre l'identité de son propriétaire. Un M et un C gravés en son dos hurlent le nom de Marcel Cerdan. Les aiguilles figées indiquent « 8 h 50 » comme si elles avaient continué à tourner six heures, et ce malgré la violence de l'impact. Mais la raison est tout autre, elles indiquent bien l'horaire du crash mais à son heure américaine. *Day for night.* Il avançait sur son destin. Le boxeur ne portait pas une mais deux montres, l'une à l'heure de Paris, l'autre, une Reflet de la marque Boucheron, réglée d'avance sur le fuseau de New York. C'était un cadeau d'Édith Piaf, un porte-bonheur.

Les restes des victimes sont recouverts de toile de tente, et débute alors le cortège des civières. Les secours trébuchent, glissent sur le sol visqueux, le rapatriement se transforme en un long chemin de croix. Les lampes-tempêtes jettent des lueurs jaunes fumeuses sur le bivouac. Après un dernier tronçon à travers une dense forêt de cryptomères s'ouvre la vallée, en contrebas le village d'Algarvia. Au centre, dans la petite église, les corps sont déposés un à un sur les dalles en pierre. À mesure de l'identification, ils sont placés dans des cercueils de bois blanc plombés. Au printemps, la façade de l'*Império* de style baroque est peinte des couleurs les plus vives. Cette veille de la Toussaint, le balayage des phares de voitures réveillent les couches défraîchies de la fête du Saint-Esprit. Une première veillée funèbre est organisée. Dans la nef, à la lumière des cierges et des lanternes sourdes, la population du village défile devant les victimes et le murmure des *Pater* ne cesse plus. Les prières portugaises des bergers et de leurs femmes tissent une longue lamentation, « *Dai-Lhes Senhor o eterno descanso* » (« Donne-leur, Seigneur, le repos éternel »).

14

La prophétie d'Arista

Je sais depuis déjà
Que l'on meurt de hasard
En allongeant le pas.

Jacques Brel, *La ville s'endormait*

La Petite avait appelé. À New York, en l'absence de Marcel, elle se mourait d'ennui et de chagrin. Au téléphone, elle l'avait supplié d'avancer son départ, elle ne tiendrait pas davantage, lui avait-elle répété. Et à quoi bon la faire languir puisque rien n'était plus facile que de grappiller quelques journées sur le programme en troquant le voyage en bateau pour un express en Constellation. Jo Longman, son manager, avait eu beau râler, les voilà dans la Pontiac bleue en route pour l'aéroport. Charge à Jo de se débrouiller pour obtenir *in extremis* trois places à bord du F-BAZN. Malgré la précipitation du départ, Marcel avait exigé que la voiture fasse une halte rue Sainte-Anne à L'Ambassade des Opéras, le quartier général de la bande, pour embrasser les « copines », Mado, Irène, saluer Jacquot le barman et Néné. La veille, ils étaient à Troyes pour un match exhibition au cirque municipal. Cerdan avait promis trois rounds à l'espoir de la boxe française, l'Aixois Valère Benedetto. Il avait tenu parole, et le Tout-Paris sportif s'était pressé en province pour voir Cerdan sur le ring, une dernière fois avant le grand combat contre Jake LaMotta. Au restaurant Aux vins de Bourgogne il assurait de sa voix fluette : « Je veux le battre et reprendre mon titre et je le battrai. » Une voix d'enfant, aiguë et gauche, un décalage entre son inflexion ténue, sa carrière et sa carrure. Étrangeté comparable à la voix de haute-contre de ce baroudeur de Blaise Cendrars.

Depuis sa victoire LaMotta avait joué au chat et à la souris. Prétextant une blessure à l'épaule droite, le poulain de la mafia avait d'abord annulé la revanche du 28 septembre. Et ce n'est qu'après de longues tractations que Jo Longman avait arraché à ses imprésarios une nouvelle date, le 2 décembre 1949, au Madison Square Garden. Marcel tenait sa revanche à portée de poings. Il s'imaginait assommer de coups son adversaire, l'enfermer dans les cordes, lui faire payer son outrage d'un dévastateur enchaînement foie-menton. Dès le coup de gong, il jaillirait de son coin, se ruerait sur LaMotta et l'enverrait au tapis.

Il n'y avait pas l'ombre d'un doute. Les plus fameux matadors sont hantés par les taureaux qu'ils ont affrontés. Toreros devenus fous, ils se réveillent en pleine nuit, harcelés par la visite d'un taureau blanc, disent-ils. Certains, raconte la légende, sont retrouvés dans un demi-sommeil, armes à la main à héler hagards la bête qui les observe d'un coin de leur chambre. Terreur nocturne, présage funeste. À plusieurs reprises, Marcel rêva la revanche. Sur un ring placé au milieu d'une arène antique, LaMotta l'observe, le jauge, danse et le nargue. Les rounds défilent et Marcel ne trouve pas l'ouverture, les esquives malignes de *Raging Bull* lui tournent la tête et l'épuisent. Puis, au cinquième round, toujours au cinquième, il capte l'élan de son taureau blanc, dérègle son manège, coupe son jeu de jambes, l'enferme entre ses deux poings. Un crochet du droit idéalement placé désoriente l'adversaire, puis deux autres détruisent une garde vacillante, se décaler de deux pas à droite et frapper l'uppercut en forme de mise à mort. Au tapis, LaMotta ne se relève plus. Aux entraînements du jour, Marcel ajoutait en songe cette *shadow boxing* cathartique.

Si seulement il n'y avait que LaMotta. Si seulement Édith se montrait patiente. La boxe a ses règles, parfois biaisées, mais si K-O il y a, les poings sont levés, nulle contestation possible. Depuis sa rencontre avec Piaf, il doit mentir, promettre, puis se dédire, avancer et reculer, ménager l'une, calmer l'autre, c'est un jeu qui le dépasse. En juillet, au camp d'entraînement de Loch Sheldrake non loin de New York, tandis qu'il préparait le match prévu au début de l'automne, Édith en tournée en Afrique du Nord était pour trois soirs à Casablanca. De l'autre côté de l'Atlantique, trois jours d'angoisse à craindre un énième coup de sang. Armand, son frère, veillait, mais il n'était pas à l'abri d'un scandale. Le 23 juillet, une lettre d'Édith ne le rassurait qu'à moitié, désormais elle exigeait qu'il choisisse :

Mon amour,

Voilà, mes débuts à Casa sont faits. Décidément, la presse m'a fait beaucoup de mal. Pour commencer, nous avons refusé du monde et je n'ai chanté que quatorze chansons. Ils ont trouvé que je n'en chantais pas beaucoup, j'ai vraiment cru que le Miami allait s'écrouler tant ils tapaient des pieds. Ton frère Armand ainsi que sa femme étaient là. Je te préviens que sa femme m'a dit : « Vous me plaisez beaucoup et je n'imaginais pas que vous étiez jolie. » Comme ça, si elle rencontre ta femme, ça lui fera plaisir. De plus, les journaux l'ont écrit aussi que j'étais jolie, tant pis pour toi. Je suis fière pour toi, mon amour, je voudrais être la plus jolie de toutes, la plus parfaite, pour que jamais tu puisses un jour ne plus m'aimer. C'est pour cette raison que j'embellis et je m'améliore moralement. Tu es si parfait et je voudrais tellement te ressembler.

J'ai appris que tu allais faire construire une villa de dix millions à Casa et que chaque fois tu t'installais de plus en plus, ici. Vois-tu, c'est ça qui me tue et qui me fait ne plus rien comprendre. Fais attention, je t'expliquerai quelque chose qui va peut-être t'ouvrir les yeux. Tu sais que je ne me suis jamais mêlée de cela mais, cette fois-ci, je me révolte car tout le monde vient me trouver en me disant que, si je t'aime, je dois t'ouvrir les yeux et te mettre en garde. Chéri, il te faut prendre une résolution, d'abord pour tes gosses et ensuite, pour toi. Tu es leur père et tu dois aussi les défendre. Après ton combat de septembre, tu te dois de prendre des mesures sévères pour tes petits. Je vais, moi, te proposer quelque chose de très réalisable, et qui fera le bonheur de tes gosses et le tien. Je t'embêterai jusqu'à ce que tu fasses quelque chose. Tu vas être sidéré de tout ce que je vais t'apprendre Mais maintenant, je sais pourquoi Dieu m'a mise sur ta route, il ne m'aurait jamais permis de faire une mauvaise action et c'est pourquoi les coïncidences de chaque événement qui nous sidèrent tant, en ce qui nous concerne, ne sont point des coïncidences mais des signes du ciel pour que je ne te quitte jamais. Et je suis sûre que LaMotta est un appel de Dieu pour que je sois toujours près de toi. À chaque fois que l'on nous sépare, il t'arrive un coup dur. Regarde Delannoit et LaMotta, regarde Zale, Turpin, Roach, et tu les as mis K-O tous de la même façon. Je suis sûre maintenant que Dieu veut que je sois près de *toi, sûre comme j'existe. Et puis je te citerai d'autres faits qui sont tellement sidérants que par moments cela me fait froid dans le dos ! Je t'aime et mon amour est si fort qu'il en devient une protection !*

[...] Je suis si heureuse de t'aimer comme je t'aime. Plus que douze jours et je pourrai te toucher et t'embrasser comme j'en ai envie.

Ta toute petite petite

En août, sur la Côte d'Azur, puis sur le paquebot *Île-de-France*, il lui avait promis qu'après la victoire il prendrait une décision. Il arrêterait sa carrière, aurait le temps de réfléchir. Reculer pour mieux sauter. La nouvelle était tombée, le match était reporté.

Marcel Cerdan en famille non loin de Casa tuait l'ennui, suspendu à la décision de LaMotta. Entouré de Marinette, des trois enfants, d'Armand son frère et du neveu René devenu son *sparring partner*, il naviguait entre la ferme de Sidi Maârouf, la villa en construction d'Anfa et la salle de boxe l'ASPTT où il répétait ses gammes. Frapper en cadence le cuir de la poire de vitesse. Tac, tac, tac. Plus fort, droite, gauche, enfoncer le sac de frappe, vroum, vroum, vroum. Sur le parquet claquait la corde à sauter, shlac, shlac, shlac.

Marcel avait eu du mal à digérer d'avoir été possédé par un outsider sorti de nulle part, sinon du chapeau d'un des parrains de Cosa Nostra. Une défaite au goût amer face au dixième poids moyen mondial, un concours de circonstances pour le moins douteux avait rendu toute victoire impossible. Au Briggs Stadium de Detroit, le 16 juin 1949, le combat avait été avancé d'une demi-heure, Marcel n'avait pu effectuer son rituel tour de chauffe sur le ring ; froid, une glissade lors du premier round l'avait contraint, l'épaule droite luxée, à subir sans broncher les raides épileptiques du Taureau du Bronx. Il n'avait pas démérité, LaMotta avait pilonné sa blessure jusqu'à rendre la douleur insupportable. Au onzième round, pressé par ses hommes de coin, le Français abandonnait.

En pleine possession de ses moyens, il se savait imbattable. Et c'est un Cerdan au mieux de sa forme qui s'envole pour les États-Unis en ce mois d'octobre 1949. « Aujourd'hui, la question d'une défaite ne peut pas se poser. Je dois battre LaMotta, je le battrai. Je serai parfait le 2 décembre. Croyez-moi, je rentrerai en France avec la couronne mondiale des poids moyens solidement placée sur ma tête », annonce-t-il à un journaliste de *France-Soir*.

Dans le hall d'Orly, Marcel porte son complet bleu fétiche. Enfilé par-dessus, un épais manteau de tweed gris élargit davantage sa carrure de géant. Superstitieux, le boxeur ne déroge jamais à ses habitudes, ni sur le ring ni en dehors. C'est d'ailleurs au dérèglement du rituel quelques mois plus tôt à Detroit qu'il attribue sa défaite. Nul doute, si les conditions objectives du cérémonial avaient été réunies, s'il avait pu échauffer sa carcasse comme prévu, son épaule aurait tenu le coup, et il ne serait pas question de revanche aujourd'hui mais plutôt de défendre un titre inviolé. Les sportifs accordent outre mesure de l'importance à ces détails permettant d'enclore l'imprévisible dans une série de causes bien déterminées. À défaut de maîtriser tout à fait le destin, soyons certains d'en prévoir l'avant-garde, d'enfermer les détails préparatoires dans une magie subjective, un paganisme de l'avant-match. Manies farfelues érigées en cérémonial penseront certains, mais force est de constater que l'agencement réglé des détails n'est pas plus curieux que des liturgies millénaires instituées en dogme. Ordonné champion, il s'agit de ne jamais déroger à la religion que l'on s'est soi-même fixée. Depuis les premiers combats professionnels à Levallois, Marcel porte ainsi cette culotte bleue à bande blanche cousue par sa mère et dans laquelle, entre deux points, elle a glissé une médaille de l'Enfant Jésus. Et seul le roulage parfait des bandes Velpeau convoque la victoire.

Malgré toutes ces superstitions, Marcel Cerdan n'avait eu que faire de la prophétie d'Arista. Le célèbre chiromancien avait rencontré le boxeur dans l'appartement de Paul Genser, rue d'Orsel, début octobre. Amusé, Marcel s'était prêté au jeu. Retournant sur la table ses deux grandes mains, il avait livré aux yeux du voyant les épaisses lignes creuses de ses paumes. Cartographie d'une vie tracée par les sillons d'épiderme et dont lignes de chance, de cœur, de tête, de destin, entrecroisées, révèlent par l'embranchement de leurs ramifications l'inéluctable providence. S'arrêtant au mont de Saturne, sous l'index, symbole de la bonne ou de la mauvaise fortune, Arista livrait une prophétie lapidaire qui résonnait comme un avertissement : « Vous voyagez trop souvent en avion, faites attention. » Jo Longman, au fond de la pièce, désamorça de son rire le présage, imitant la voix du diseur de bonne aventure, le manager prédit à Cerdan qu'il rencontrerait bientôt un homme-taureau, une sorte de Minotaure, qu'il le terrasserait, et d'ajouter qu'en bon Thésée sorti du labyrinthe new-yorkais aux bras d'une Ariane au nom d'Édith, la prophétie se réaliserait à son retour puisque, tel Icare, il périrait de son envol. L'augure avait été noyé sous l'hilarité générale. Arista, préoccupé par sa prédiction, insistait et réclamait dès le lendemain l'acte d'état civil complet du boxeur afin d'établir son horoscope. Une semaine plus tard, Marcel recevait une lettre en forme de second avertissement : « Évitez de voyager dans les airs, surtout le vendredi. »

Plus l'oracle est précis, moins on l'écoute, telle est la leçon de Cassandre. Et quand il est entendu, tout geste contraire concourt à son accomplissement, se débattre, rebrousser chemin fait partie du jeu, telle est la leçon de l'oracle de Delphes. En somme, nul n'échappe à son destin.

« Prends l'avion, le bateau c'est trop long ! » suppliait Édith la veille au téléphone, le Constellation traverserait l'Atlantique dans la nuit de jeudi à vendredi, il serait à New York au matin, il irait la réveiller. Ils passeraient la journée ensemble, le soir il l'écouterait chanter au Versailles. La prophétie est oubliée. Marinette au téléphone quelques minutes avant l'embarquement fait part d'un mauvais pressentiment, elle est angoissée, il ne lui connaît pas de telles alarmes. Il la rassure. Pendant ce temps, Jo Longman arrache aux hôtesses d'Air France trois places sur un vol pourtant complet. Le champion du monde vaut bien un droit de priorité dont font les frais Mme Erdmann, directrice d'une maison de parfum, et un jeune couple d'Américains en voyage de noces à Paris. Au bar de l'aéroport, flanqué de ses deux acolytes, Marcel trinque à la reconquête.

« LaMotta me paiera cher sa dérobade ! »

15

Ponta Delgada

Derrière nous l'église, puis la falaise,
Puis la tour du fanal.

Samuel Taylor Coleridge,
La Chanson du vieux-marin

Dans la nuit de dimanche à lundi, une ultime expédition se lance dans l'ascension du mont Redondo, à la recherche des dernières victimes du Constellation surveillées au sommet par trois fantassins de la caserne de l'île. À minuit, les secours rapatrient au village les dépouilles. C'est un hameau en état de siège, le va-et-vient des véhicules militaires encombre l'unique rue et imprime le sol de larges sillons. Dans le presbytère de l'église où ils ont été logés, les membres de la commission Air France regroupent leurs notes et rédigent les premiers rapports. Des centaines de détails qu'ils confrontent à la liste dactylographiée des passagers du vol. Leur priorité : attribuer à chaque cadavre, un nom, avant le transfert vers Ponta Delgada. Le relevé technique des causes de l'accident peut attendre. Que ressentent-ils, ces hommes à l'avant-poste du désastre ? Du découragement face à l'ampleur de la tâche ? L'épuisement d'une journée au cœur du volcan, à fouiller et à dépecer les entrailles fumantes du Constellation ? De la colère après avoir constaté le pillage du site ?

Lévis-Mirepoix souhaite au plus vite organiser la traque des pillards. Au petit matin, ils inspectent les maisons d'Algarvia, questionnent les habitants. Un collier de perles et des alliances ici, des liasses de dollars là. Et que dire de cette femme arrêtée en pleine rue emmitouflée dans un manteau de fourrure. À l'écart du village, le long d'un sentier, s'échappe d'une cabane le son d'un violon. Ils toquent à la porte, le bruit cesse, un vieil homme ouvre, il tient dans ses mains l'instrument et un archet monté sur or et écaille de tortue. « C'est à vous ceci ? – Non, je l'ai trouvé », répond le villageois. L'archet modèle « Fleur-de-Lys » est signé « W.E. Hill & Sons », le célèbre fabricant londonien. La commission confisque immédiatement l'archet, le violon – bien vieux – reste entre les mains du paysan.

À midi, l'armée coordonne le rapatriement des cercueils vers la base de Ponta Delgada. Quatre camions font office de corbillards sur la route en lacets qui sépare Algarvia de l'aérodrome de Santa Anna. Deux heures plus tard, les cercueils sont installés sur les bancs du réfectoire de la caserne blanchie à la chaux. En ce lundi 31 octobre, l'alignement de bières sans noms ornées de gerbes et de couronnes ainsi que l'autel improvisé à la hâte donnent à la cantine de l'infanterie l'allure d'une morgue. Ponta Delgada est la capitale de São Miguel. Surnommée l'*Ilha Verde*, il fut un temps, où, escale de ravitaillement pour les caravelles entre l'Europe et le Nouveau Monde, l'île rayonnait. La Praça Gonçalo Velho Cabral, ceinturée d'arcades, signale de trois fières arches la dernière porte terrestre vers l'océan. Praça 5 de Outubro, le Forte de São Brás surplombe la citadelle. Chaque cinquième dimanche après Pâques, les habitants tapissent de fleurs de l'île les dédales de la cité. On y fête le Saint-Esprit et, derrière un immense christ d'ébène peint et bariolé d'or et de diamants, un cortège s'anime. Dans l'église paroissiale, la foule recueillie sacre un enfant empereur, sur sa tête l'imposante couronne, dans sa main le sceptre centenaire, le roi-bambin défile et ouvre les festivités.

De quel bois sont faits les cercueils regroupés dans la caserne, des immenses forêts du val joli au centre de l'île ou des bois morts de la forêt du Caliche ? Dans l'après-midi, l'absoute est donnée par le prêtre de Ponta Delgada, sont présents le gouverneur civil, les chefs des autorités locales,

les membres de la mission Air France. Classés par nationalité, certains cercueils sont recouverts de l'Union Jack ou de la bannière étoilée, les Français devront attendre l'arrivée du consul Morin en place à Lisbonne. Après le service catholique, un aumônier protestant américain en uniforme de capitaine de l'armée de l'air lit à haute voix des versets de l'Ancien Testament. À l'extérieur, les drapeaux de la base sont en berne, les soldats portugais au garde-à-vous devancent la haie d'honneur des enfants des écoles, vêtus de blanc.

Lévis-Mirepoix s'entretient le soir même au téléphone avec Didier Merlin du *Figaro* et livre les premiers éléments de l'enquête : « Il est encore trop tôt pour tirer des conclusions des éléments que nous avons pu rassembler. Chaque membre de la commission, en liaison, bien entendu, avec les autres, a mené son enquête personnelle, dans le domaine que lui assignait sa spécialité. Nous étions accompagnés des représentants du corps navigant : un pilote, un radio, un navigateur et un mécanicien chargés de se renseigner en fonction du poste qu'ils occupent à bord des avions. Nous n'avons pu encore confronter ce que nous avons recueilli. Chacun tient un morceau du puzzle que constitue la catastrophe, mais celle-ci ne restera-t-elle pas toujours une énigme, même lorsque les morceaux seront rassemblés ? L'avion, comme vous le savez, a percuté à flanc de montagne sur le côté du mont Redondo, entre celui-ci et le pic Algarvia, le plus élevé de l'île de São Miguel, à cinquante kilomètres au-dessous d'un évasement qui pourrait être considéré comme un petit col. »

16

La gladiateur

Je me souviens que la violoniste Ginette Neveu est morte dans le même avion que Marcel Cerdan.

Georges Perec, *Je me souviens*

Enroulées aux colonnes Morris, le long des boulevards parisiens, les affiches de la salle Pleyel annoncent en file indienne et majuscules :

AVANT SON DÉPART
GINETTE NEVEU
DONNERA UN CONCERT D'ADIEU
LE JEUDI 20 OCTOBRE
SALLE PLEYEL

Au programme de ce dernier tour de violon avant les Amériques, la *Sonate en ré majeur* de Haendel, la *Chaconne en ré mineur* pour violon seul de Bach, *Nocturne et Tarentelle* de Szymanowski,

Pièce en forme de Habanera et *Tzigane* de Ravel. Dans sa longue robe rose cintrée par ses épaules de gladiateur, Ginette Neveu, accompagnée au piano par son frère Jean, se livre à une heure d'incessants coups d'archet déliés d'où s'extirpe l'impeccable interprétation du répertoire. Le public est venu écouter le prodige, le Mozart en jupons que le monde entier acclame. Entendre son *Tzigane*, bissé comme à l'accoutumée à travers les mouvements, un huit en serpent s'envide au caducée. À Paris, entre deux concerts, Ginette reste enfermée dans l'appartement familial du square Henri-Delormel. Des heures à reprendre indéfiniment le programme, à perfectionner le moindre détail, à creuser à la frontière de la folie l'interprétation juste. Et puis, aux premières lueurs du jour, arpenter les grandes avenues, s'inscrire en flâneur entre chien et loup dans l'invisible parenté des solitaires matinaux. À l'âge de dix ans, elle écrivait dans une rédaction : « Mieux encore les Champs-Élysées quand l'air frais du matin accompagné d'une lumière resplendissante donne ce je-ne-sais-quoi de grandeur que l'on ne peut ressentir dans la journée. Les rares promeneurs ne parlent pas, ils contemplent... Mais, dans deux heures, les pédants auront repris possession de ces avenues, l'enchantement sera dissipé. »

Au matin, elle croise les grandes affiches à sa gloire. D'un coup de pinceau de colleur d'affiches, un bandeau « Complet » traverse la réclame.

Ginette a choisi son destin. Il est aisé d'accoler à sa précoce carrière le terme de « prodige », et de manquer, par la facilité des caricatures, la volonté implacable de l'enfant, l'acharnement et la discipline, bras armé de son génie. Un staccato à nul autre pareil, fruit de l'obstination d'une enfant sérieuse. Nous aimons les contes de fées, les pommes de Newton, les *Eurêka*, l'incarnation de la grâce en événement ponctuel, inné, inéluctable, et effaçons par goût du merveilleux les précédents, la sale besogne, les doutes. À sept ans, après un premier concert salle Gaveau, Ginette s'entraîne à vaincre son anxiété, à stopper le tremblement de ses genoux, à dompter la moiteur de son front et de ses paumes. Sur la table de la cuisine, répéter à la veillée et répondre à sa mère stupéfaite : « C'est pour m'habituer à jouer sur la scène. L'autre jour, j'avais le trac, c'était sans doute le vertige. »

Enfant de l'Armistice, Ginette Neveu est née en 1919 à Paris. Sa mère, professeur de piano, l'initie tôt à la musique. Dans un coin du salon, Ginette observe le va-et-vient des élèves et fredonne dès onze mois les mélodies entendues. Les passants s'arrêtent devant ce landau bercé par son propre chant. À deux ans, elle assiste à un concert en hommage à Frédéric Chopin, sur le chemin du retour, en larmes, on l'entend dire : « J'aime tant le sentiment ! Oh, comme cet homme devait être malheureux ! » Son premier violon, un petit quart, lui est offert à son cinquième anniversaire, et après que ses parents ont demandé conseil auprès du professeur Nadaud du Conservatoire de Paris, elle est inscrite au cours de Mme Talluel. En un rien de temps, ricochet, staccato, spiccato, sautillé n'ont plus aucun secret pour elle. Et devant l'évidence de cette étrange maturité, après six mois seulement de cours, Ginette donne son premier récital public avec une fugue de Schumann. Ce sont les premiers applaudissements qu'elle ne comprend guère, et, après avoir salué, elle se prend à imiter l'auditoire. Deux ans plus tard, Ginette rayonne salle Gaveau, elle y interprète avec brio un *Concerto* de Max Bruch. À l'extérieur, un violent orage s'abat, elle n'entend rien du vacarme, à sa mère, étonnée de son aplomb sans faille, elle répond : « La foudre ? Il y a donc eu de l'orage ? »

À l'instar de Marcel Cerdan, la voix de Ginette Neveu est un paradoxe. Marcel, engoncé dans un corps de géant, a l'élocution d'un gamin timide, bégayant, butant sur les mots, contraint à élever ce mince filet de voix pour se faire entendre, c'est un soprano. Ginette, enfant-adulte, impose de sa voix grave son assurance et la certitude de son élection, vous fixant de ses yeux profonds, elle assène plus qu'elle ne propose, c'est une contralto. Interrompue au milieu de la *Chaconne* de Bach par le maître Georges Enesco, qui lui conseille de reprendre l'un des passages, elle répond : « Je fais ce que je comprends, non ce qui m'échappe. »

En novembre 1930, à onze ans, elle est admise au Conservatoire national supérieur de musique. Après seulement huit mois à suivre la classe de Jules Boucherit, elle reçoit un premier prix de violon, et égale l'exploit réalisé par Wieniawski. Un an plus tard, elle participe à son premier concours international à Vienne face à deux cent cinquante violonistes du double de son âge, et se retrouve en finale. Parmi les membres du jury, Carl Flesch, impressionné par la technique et l'inspiration de la fillette, laisse un mot à l'hôtel à l'attention de sa mère : « Si vous pouvez venir à Berlin, je m'engage à m'occuper de la jeune violoniste d'une façon tout à fait désintéressée. » Il faudra deux ans à la famille pour réunir l'argent nécessaire au voyage. Entre-temps, Ginette rencontre Nadia Boulanger et compose pour s'amuser trois sonates pour violon seul, un caprice et les prémices d'un concerto avec orchestre. En mars 1935, à seize ans, elle connaît la consécration internationale en remportant devant David Oïstrakh le concours Wieniawski. À la suite de sa prestation, elle écrit une lettre à Mme Talluel :

Mon cher Professeur,
Je viens vite vous annoncer l'heureuse nouvelle : après avoir été première au premier examen, je viens de remporter le premier prix à la seconde épreuve. Inutile de vous dire la joie de ma maman et la mienne aussi. Malheureusement le règlement m'oblige de rester encore un mois en Pologne pour

donner des concerts. La séance s'est terminée hier soir à 2 heures, j'ai très bien joué mon concerto…

J'ai donc reçu… attention… ! un diplôme, un chèque, une coupe en argent ayant appartenu à Wieniawski, un violon étrange qui se rapproche de la mandoline !!

Ginette Neveu découvre le monde. Entre 1935 et 1939, elle entreprend une tournée en Pologne, au Royaume-Uni, à travers l'Union soviétique, au Canada et aux États-Unis, et partout le même triomphe l'attend. Elle aurait déclaré : « Maintenant il va falloir travailler ! »

Vient la drôle de guerre, la défaite, l'enclos des pays occupés. Ginette choisit l'exil intérieur. Elle ne se rend plus que dans de petites salles de concert de la zone libre et, malgré les ponts d'or de l'Allemagne nazie, décline les propositions de Berlin et de Stuttgart. Lors de ses tournées improvisées dans les campagnes françaises, d'hôtels de gare en couchettes, elle est accompagnée de son frère, Jean Neveu. Elle ne fera qu'une seule fois exception à cette résistance musicale en acceptant le 19 janvier 1943 un concert, salle Gaveau, où elle donne des concertos de Bach, de Beethoven et de Brahms. De ce concert naît une amitié avec le compositeur Francis Poulenc, scellée par la dédicace d'une de ses sonates.

Juin 1944, le débarquement allié. Ginette, à mesure de l'avancée des troupes, ouvre plus grand le spectre de ses prestations. La Belgique est libérée, elle se rend à Bruxelles et donne un concert flamboyant. Puis elle prend le premier train pour la Suisse, arrêtée à la frontière, elle passe néanmoins en catimini. Un journaliste de *La Feuille d'avis de Lausanne* l'accompagne, il raconte : « À la frontière, un chef de gare plein d'initiative fait atteler un wagon spécial à un train de marchandises pour assurer le passage de ces voyageurs inattendus. Le mécanicien, qui n'en revient pas, descend à chaque arrêt pour s'assurer que les voyageurs sont satisfaits, tient conversation avec eux, leur apporte des journaux. C'est ainsi que Ginette Neveu apprend tout à coup par la presse son remplacement au concert de l'Orchestre symphonique de Genève : on avait cru qu'il lui serait impossible d'y venir. Révélant son identité, elle bondit au téléphone à l'arrêt suivant, rétablit les choses… et arrive à temps. » Une volonté en marche, toujours.

À Londres, elle tombe malade, la scarlatine. Pendant un mois, une éternité, elle ne joue pas. Une nuit, un missile V2 s'écrase à quelques rues de son immeuble, en plein Hyde Park. Rétablie, elle peut se produire au Royal Albert Hall. Puis c'est Bruxelles, dans les appartements privés de la reine Élisabeth, et Ostende, où, dans les coulisses, elle rencontre Maurice Chevalier. Il raconte : « Grosse impression, peu de violonistes m'ont, jusqu'à présent, touché à ce point jusqu'aux fibres les plus secrètes. Dès les premières notes, on est comme électrisé par son génie. Elle semble en proie à un démon ! »

Dans une captation de 1946 du *Poème* de Chausson avec l'Orchestre philharmonique de Londres sous la direction d'Issay Alexandrovich Dobrowen, apparaît la présence magnétique de Ginette Neveu. Le menton relevé, après une profonde respiration comme un élan avant l'obstacle, l'archet doucement descend et remonte tandis que ses doigts enclenchent un vibrato. Au centre de la scène, Ginette, vêtue d'une robe aux manches bouffantes, s'élève, son bras s'abaisse.

1947. L'Amérique du Sud en train. Rio de Janeiro, Montevideo, Manaus, la Patagonie, Bogotá. Elle y croise André Maurois. Puis Mexico, les États-Unis – d'abord le Texas, l'Oklahoma, l'Utah –, le Canada, le Carnegie Hall de New York. Dans l'avion du retour, à la Noël, elle improvise pour les passagers le *Tzigane* de Ravel à l'harmonica, son plus beau concert, dira-t-elle. L'appareil tourne autour de l'aéroport d'Orly, impossible de se poser ; en catastrophe, le Constellation atterrit près d'Orléans, dans un terrain vague qui porte encore les stigmates de la guerre. Pour faire patienter les passagers, le commandant de bord organise alors un jeu. « Que feriez-vous si vous aviez une lampe magique et que vous pouviez formuler un vœu ? » On se souhaite la richesse, la gloire, le succès, la vie éternelle, Ginette espère, elle, passer Noël dans l'appartement du square Delormel. Quelques heures plus tard, le vœu se réalise.

Le 22 octobre 1949, elle se rend avec sa mère rue Portalis, à l'atelier Vatelot. Elle vient acquérir un Guadagnini que lui avait réservé Marcel Vatelot, et récupérer son Stradivarius. De l'intensité de son jeu découle une forte humidification du violon, le jeune apprenti Étienne Vatelot, fils du luthier, a la tâche d'ouvrir légèrement l'instrument. Quelques semaines auparavant, il avait été décidé qu'Étienne suivrait Ginette lors de sa tournée aux États-Unis. Elle lui demande néanmoins de reporter ce déplacement. Elle va, dit-elle de sa voix grave, roder son programme à Saint Louis avant d'entamer la série de concerts qui l'attendent, et ne sera donc pas disponible avant le 10 novembre. Étienne n'a aucune raison de se presser et surtout veille à ne pas jouer les importuns, conscient qu'il est de la qualité première de son métier qu'est la discrétion. Il ajourne son départ, change le billet d'avion du 27 octobre pour une traversée de l'Atlantique par bateau.

17

LE BOMBARDIER DANS UN CARGO

> *Mort accidentelle du boxeur Marcel*
> *Cerdan. La presse s'est jetée sur son*
> *cadavre frais. « Demandez la photo*
> *(20 francs) du regretté Marcel Cerdan »*
> *édition spéciale – quelle bonne affaire…*
> *vomissures… Et demain je redeviendrai*
> *journaliste sans honte… car la société a*
> *les journalistes qu'elle mérite.*
>
> René Fallet, *Carnets de jeunesse*

À Paris, les quotidiens brodent jusqu'à l'épuisement du filon le feuilleton des Açores. Aux théories échafaudées, aux experts interrogés, aux récits romancés de l'expédition succède l'attente des grandes pompes funèbres. Le dénouement s'étire tandis que, meublant les colonnes, pisse-copies de service livrent leurs statistiques : 585 851 personnes ont traversé l'Atlantique depuis 1945, 20 205 trajets dans les deux sens. L'éphéméride d'une semaine de Toussaint, une liste de noms oubliés, de ministères renversés, de faits divers, d'anniversaires et de festivités. De unes en entrefilets, d'informations sous le trait en titrailles tapageuses, de publicités en vignettes, cahiers, éditions spéciales, un ensemble de *papiers collés* d'où s'extrait, aux cris des vendeurs de rue et des rotatives, le cadavre exquis de l'invariable marche du monde. Et défilent à toute vitesse, miniaturisées et enroulées en bandes de microfilms, les actualités. D'avance rapide en grossissement jusqu'à la mise au point, les événements se croisent, s'amalgament, tandis que le vacarme de la machine déterre les morts. Dix-neuf matelots bretons ont péri dans la tempête et l'on est encore sans nouvelle de trois bateaux de pêche – Branle-bas de combat chez les syndicats de métallurgistes – Nouveau match nul (1 à 1) entre la France et la Yougoslavie, 60 000 spectateurs s'étaient rendus à Colombes et le match s'est déroulé sans incidents... politiques – Le ministère Georges Bidault est maintenant au complet – Les perceurs de plafond déclenchent une sonnerie d'alarme et s'enfuient les mains vides, ils abandonnent sur place deux valises contenant soixante kilos d'outils : leviers, ciseaux à froid, mèches, cordes à nœuds, chaussons de caoutchouc, système de ponts, tournevis, sans compter... l'indispensable parapluie destiné, vous le savez peut-être, à recueillir les gravats des planchers perforés – Louis Armstrong triomphe salle Pleyel – Encart publicitaire : « Je suis secrétaire. J'ai une belle situation. Je la dois aux connaissances professionnelles acquises en suivant les cours PIGIER. » – Un avion amphibie s'écrase à Londres : six morts – Le 63ᵉ anniversaire de la remise par la France de la statue de la Liberté aux États-Unis – Deux jeunes savants partent pour le Tchad, M. et Mme Jean-Paul Lebœuf ont quitté Bordeaux ce matin par le paquebot *Brazza*, à destination de l'Afrique noire. Chargés de mission par le musée de l'Homme et par le Centre national de la recherche scientifique, ils se rendent dans la région du Tchad. Ils participeront à des recherches archéologiques afin de retrouver les vestiges des anciennes civilisations africaines – Cahier livres : Maurice Nadeau à propos de Robert Desnos : « Il incarnait ce qu'il y a de meilleur dans le surréalisme : une avidité furieuse de conquérir l'impossible. » Une lettre inédite de H.G. Wells à James Joyce : « Vos deux derniers ouvrages ont été plus passionnants et amusants à écrire qu'ils ne le seront jamais à lire. » Qui de Robert Merle pour *Week-end à Zuydcoote* ou de Louis Guilloux pour *Le Jeu de patience* obtiendra le prix Goncourt 1949 ? – Réclame : « Puisque enfin ils ont le choix, les clients sont devenus difficiles. Pour leur petit déjeuner ils exigent le produit de qualité et de vieille réputation… ils exigent BANANIA, l'exquis petit déjeuner chocolaté. » – Arrestation du meurtrier présumé de Setty, la police londonienne a arrêté ce soir un certain Donald Brian Hume, inculpé d'avoir participé à l'assassinat du marchand d'automobiles Stanley Setty, dont on a retrouvé, il y a cinq jours, le tronc décapité et sans jambes dans un marécage de l'Essex – Sur les écrans, *Stromboli* de Roberto Rossellini avec Ingrid Bergman, *Madame porte la culotte* de George Cukor avec Katharine Hepburn et Spencer Tracy, huitième semaine de succès pour *Retour à la vie* avec Bernard Blier, Louis Jouvet et Serge Reggiani – Toussaint froide et fleurs chères, le traditionnel pèlerinage aux nécropoles a commencé depuis deux jours. Au quai aux Fleurs, devant les cimetières, on enregistrait une hausse de quinze à trente pour cent sur les cours pratiqués l'année dernière. Les marchands se plaignent de la mévente, mais la moindre « tête » de chrysanthème vaut deux cents francs.

Aux Açores, la fête des Morts du 1er novembre 1949 n'a jamais mieux porté son nom. Sur l'île, on ne cesse de communier en hommage aux victimes du Constellation. Les habitants se sont désormais pris d'affection pour les passagers, un deuil teinté de fierté, l'impression fugace d'être pour au moins quelques jours l'épicentre d'un drame mondial. Ils apprennent le nom des défunts, Ginette Neveu, Marcel Cerdan, et portent le deuil de victimes devenues par le vœu de la providence leurs morts. Il faudra attendre près d'une semaine pour que le rapatriement en France des corps soit effectué. Le consul Morin est arrivé à São Miguel et coordonne désormais les opérations. Les trente-trois cercueils français patientent dans la caserne de Ponta Delgada tandis que les experts poursuivent les investigations et s'assurent de l'identité de chacune des victimes. Le lundi 7 novembre, en début d'après-midi, la funeste cargaison est chargée à bord d'un bateau effectuant la liaison entre São Miguel et Santa Maria, l'y attendent sur la piste de l'aérodrome les corbillards volants, trois Cargo Liberator LB-30 de la Société aérienne de transports internationaux (SATI). Énormes engins assemblés dans les usines de Detroit et destinés aux Alliés anglais, désormais, ils voguent au gré de conjonctures commerciales. Allongés sur le tarmac, les triplés standardisés, toutes rampes sorties, avaleront telle la baleine du *Pinocchio* de Walt Disney les dépouilles du Paris-New York. Le mardi 8 novembre, aux aurores, le matricule F-00AF prend en charge les trente-trois dépouilles françaises pour un vol en deux temps : un crochet par Casablanca pour déposer Cerdan, puis un dernier tronçon vers Cormeilles-en-Vexin, l'annexe d'Orly.

Le Cargo poussé par les alizés, après avoir survolé le détroit de Gibraltar, amorce sa descente sur Casablanca et l'aérodrome de Camp-Cazes. Sait-on seulement que le pilote du Constellation, Jean de La Noüe, y retrouve une terre bien connue ? Et que cette terre, Bernard Boutet de Monvel l'a peinte ? La foule massée autour des pistes d'atterrissage pleure un boxeur au surnom d'avion. À 10 heures du matin heure locale, des rampes d'un Cargo Liberator sort, supporté par quatre épaules, Cerdan, le Bombardier. Les haies d'honneur le long des routes bordées de palmiers escortent jusqu'au stade Lyautey le cercueil. Dans l'enceinte sportive, au bout de l'avenue d'Amade, dans une chapelle ardente construite à la hâte, des milliers de Casablancais défilent devant le catafalque où repose jusqu'à son inhumation le champion.

18

LES DIVORCÉS DE RENO

Faut jamais rien raconter à personne.
Si on le fait, tout le monde se met à vous
manquer.

J.D. Salinger, *L'Attrape-cœurs*

J'avais lu, dans une coupure de presse de l'époque, une anecdote sur l'un des passagers du Constellation. Il s'agissait d'Ernest Lowenstein, propriétaire de deux tanneries, à Strasbourg et à Casablanca. On y apprenait qu'il avait divorcé un mois plus tôt à Reno et qu'il regagnait New York dans l'unique but de tenter une réconciliation avec son ex-femme. L'histoire me plaisait, j'imaginais un télégramme envoyé une semaine avant le départ, quelque chose comme : « ARRIVE À NEW YORK LE 28 OCTOBRE – STOP – CONSTELLATION F-BAZN – STOP – VOYONS-NOUS – STOP – VOUS ME MANQUEZ – STOP. » Je me passionnais pour l'histoire de Reno dans le Nevada. La ville était devenue au début du XXe siècle, et ce jusqu'à la fin des années 60, la capitale du divorce. Une loi fédérale facilitait les démarches, aucune preuve d'adultère n'était exigée, il suffisait de mettre en avant des motifs tels qu'« incompatibilité » ou « cruauté » pour obtenir le précieux document. Souhaitant faire d'une pierre deux coups, les autorités locales avaient peu à peu réduit le temps de résidence nécessaire de trois mois à six semaines, transformant ainsi Reno en une cité touristique dédiée au divorce. J'appris comment Mary Pickford, star du muet, vint en 1920 y vivre six mois afin de régler au plus vite son divorce avec Owen Moore et convoler avec Douglas Fairbanks. On relatait également l'hôtel Riverside, lieu de villégiature des stars du Tout-Hollywood désireuses d'accélérer la procédure, on relevait la venue de Paulette Goddard en 1935, qui mettait fin à son union avec Charlie Chaplin. Je glanai une chanson populaire américaine :

I'm on my way to Reno,
I'm leaving town today
Give my regards to all the boys
And girls along Broadway
Once I get my liberty,
No more wedding bells for me
Shouting the battle cry of Freedom !

Je continuai mes recherches en espérant trouver plus d'informations sur Ernest Lowenstein. Enfin, le 2 novembre 2013, je tombai sur un article du 31 octobre 1949 paru dans le *Ironwood Daily Globe*, un quotidien du Michigan. Sur le moment, je m'amusai bêtement du nom du journal, *Daily Globe*, il me rappelait celui du quotidien du photographe Peter Parker, le héros des comics *Spider-Man*. Un article intitulé « *The Hope That Failed* » évoquait l'attente des familles des victimes au New York International Airport. Comment la rumeur de possibles survivants démentie quelques heures plus tard avait accentué par la vaine espérance le désespoir des proches. La photographie en regard de l'article avait capturé cet espoir fugace. J'y lisais en légende : « Mme Ernest Lowenstein de New York serre dans ses bras son fils de neuf ans, Bobby, après avoir appris d'un ami que son ex-mari, Ernest Lowenstein, de New York et Casablanca, a survécu au crash de l'avion d'Air France aux Açores. Peu de temps après, la rumeur s'avérait fausse, il n'y avait aucun survivant. Mme Lowenstein raconta qu'elle avait obtenu le divorce un mois plus tôt à Reno mais qu'elle savait que son mari revenait aux États-Unis afin de discuter d'une réconciliation. » Bobby, neuf ans, il était sans doute aisé de le retrouver, ce Robert Lowenstein (puisqu'il s'agissait d'un diminutif) né en 1940, il ne devait pas y en avoir légion, l'enfant sur la photo aurait désormais soixante-treize ans, il y avait de grandes chances qu'il soit encore en vie. Sur Google, trois occurrences apparaissaient, dont un pédopsychiatre de Pittsburgh, Robert Aaron

Lowenstein. Sur le site de la clinique, je trouvai son adresse email et lui écrivis ce message :

Date : 2 novembre 2013 00:57:54
Objet : Ernest Lowenstein
Dear Doctor Lowenstein,
My name is Adrien Bosc, I am working on the plane crash F-BAZN Constellation.
I'm not sure you're the son of Ernest Lowenstein, if so may I ask you a few questions ?
Best regards,
Adrien Bosc

Deux heures plus tard, je recevais sa réponse, que je lus à mon réveil :

I am his son. What questions do you have ?
Sent from my iPhone

J'avais écrit au hasard et finalement je ne m'attendais pas à le trouver si rapidement. Et d'ailleurs, en me relisant, j'avais un peu honte. Abrupt, je le sollicitais sans réelle précaution, n'imaginant pas une seconde l'étrangeté, soixante-quatre ans après ce qui fut sans nul doute le drame de sa vie, de l'objet de cet email : « Ernest Lowenstein ». Il y avait un côté chacal, journaliste justement.

Après plusieurs échanges, nous convenions d'un rendez-vous téléphonique le dimanche 10 novembre. Je lui expliquai mon projet, insistai sur le fait que je souhaitais entendre sa version et non m'appuyer sur cette simple coupure de presse. Rassuré, il me raconta l'histoire de ses parents :

Mon père, Ernest, était un Juif allemand né en Westphalie qui avait émigré à la fin des années 30 à Paris. Il travaillait avec mon oncle dans le cuir. Ma mère avait aussi immigré en France, elle était polonaise. Ils s'étaient rencontrés à Paris. En 1940, lorsque les Allemands ont débarqué, mon père était absent, il s'était engagé dans la Légion étrangère et était en mission en Algérie. Ma mère, enceinte de moi, décida de fuir Paris. Elle réussit à traverser la frontière espagnole par les Pyrénées, une famille française l'aida en la conduisant en voiture. Puis, d'Espagne, elle rejoignit par bateau Casablanca. Je suis né à Casablanca. Mon père nous a rejoints d'Algérie. Nous avons vécu toute la guerre au Maroc, mon père fut policier, puis a monté une tannerie. En 1945, nous avons immigré aux États-Unis. Mon père après guerre a fait fructifier son affaire, et multipliait les allers-retours entre New York, le Maroc et la France, où il avait monté une seconde usine. À la maison, nous parlions français. J'ai d'abord parlé français. On parlait aussi allemand, polonais. Puis, à l'été 1949, mes parents ont divorcé. Je me souviens de ce voyage à Reno, c'était comme des vacances. Nous y avons vécu pendant six semaines avec ma mère. Je ne comprenais pas tout de ce qui se jouait, c'était l'été et cela ressemblait à un voyage. Et puis, il y a eu le vol Air France, on nous a dit qu'il avait survécu, avant de nous annoncer qu'il n'y avait aucun survivant. Quelques jours plus tard, son corps était identifié. Ensuite, il y a eu beaucoup de journalistes autour de la maison. Cette histoire de réconciliation est vraie. Je savais qu'il revenait pour cela et que ma mère était pour. Ma mère était une femme pleine d'énergie. Après la mort de mon père, elle est devenue l'une des premières femmes courtières à New York. Elle avait vraiment de la ressource.

J'ai fait mes études à Chicago puis à l'université de Columbia. Je suis devenu psychiatre spécialisé dans les traumas d'enfants et d'adolescents. J'ai exercé longtemps à New York puis nous avons déménagé à Pittsburgh.

Mon père était vraiment quelqu'un de bien, il était très aimant. Ce qui est drôle, c'est qu'il adorait le sport, et surtout la boxe. Alors imaginez, Marcel dans l'avion... Je continue de travailler à soixante-treize ans, j'adore mon boulot.

(Je lui demande s'il pense qu'il y a un lien entre son métier et le drame.)

Oui, c'est certain, j'ai toujours voulu aider les enfants à surmonter leurs traumatismes, ce lien avec les enfants est lié à l'événement. Et c'était très étrange de recevoir votre email, sorti de nulle part...

J'aimerais aussi vous dire que nous avons été très étonnés à l'époque de recevoir une compensation ridicule d'Air France, je ne me rappelle plus le montant, mais c'était vraiment ridicule.

(Je lui parle du procès intenté par la famille Hennessy, déboutée par la suite.)

Oh oui, je m'en souviens, j'avais lu ça dans les journaux. Non, vraiment, c'était ridicule.

Après l'avoir remercié, je raccroche.

J'ai pensé à nous, à nos souvenirs. Au chanteur, Emile Latimer, que nous avions aperçu dans une vidéo d'un concert de Nina Simone. De la joie des coïncidences et de l'attrait pour les figures effacées était née l'idée d'un livre que nous écririons. Nous nommions le projet *Cercles rouges*. Nous évoquions plusieurs de ces portraits, un lauréat dans un livre de Pierre Sudreau, une photographie de Roy DeCarava avec John Coltrane et Ben Webster, Jackson C. Frank et sa chanson *Blues Run the Game*. Nous avions parlé de Ginette Neveu.

19

CORMEILLES-EN-VEXIN

Le hasard nous ressemble.

Georges Bernanos,
Sous le soleil de Satan

Après l'escale marocaine, le Cargo Liberator file droit, avec en ligne de mire l'annexe de l'aérodrome d'Orly à Cormeilles-en-Vexin. Sous la carlingue défilent les côtes marocaines, Rabat, Kenitra, Tanger, la cuvette méditerranéenne débordant à Gibraltar, Málaga, Grenade, Saragosse, les Pyrénées et la route des contrebandiers, affleurent Toulouse, Limoges et Orléans, neuf heures d'une diagonale coloniale d'un continent l'autre. En début de soirée, le Cargo piloté par Roger Loubry est en approche, consigne est donnée par la tour de contrôle de se poser sur la piste d'atterrissage numéro 4 de l'aérodrome, non loin des bâtiments de la SATI. Une fois au sol, l'avion est dirigé vers les hangars de la compagnie, loin des journalistes agglutinés dans le hall de l'aéroport.

Portes closes, à l'abri des regards, un à un les cercueils sont extraits du cul de l'appareil et alignés côte à côte ; à l'extérieur, une flotte de corbillards les attend. Regroupées par église, les trente-trois victimes sont dispersées entre les convois de Saint-Augustin, du Père-Lachaise, de Saint-Jean et de la province. Didier Daurat – compagnon de Mermoz et de Saint-Exupéry, immortalisé sous les traits de Rivière dans *Vol de nuit* –, devenu chef du centre d'exploitation d'Air France, est présent. Maître incontesté du courrier, Daurat avait su déceler le talent d'Antoine de Saint-Exupéry en lui offrant le poste de chef d'aéroplace sur la côte saharienne. Privilégiant la méthode aux pirouettes, il reléguait d'abord Mermoz au nettoyage des moteurs, lui déclarant : « Je n'ai pas besoin d'artistes de cirque mais de conducteurs d'autobus. On vous dressera. » Et à cet instant, c'est un sinistre autobus qu'il a devant les yeux.

À 21 heures débute l'ultime convoi des passagers du F-BAZN, les corbillards escortés par les motards de la gendarmerie nationale traversent la piste et prennent la direction de Paris, à tombeau ouvert.

Exactement à la même heure, ce soir du 8 novembre 1949, salle Gaveau, et pour la première fois à Paris, la cantatrice anglaise Kathleen Ferrier donne un récital. Et l'incomparable voix de

Klever Kaff résonne comme une messe de requiem dans la salle de concert. Magie de la synchronicité, deux femmes prodiges, l'une violoniste, l'autre contralto, réunies par la coïncidence d'une date, se répondent *de profundis*. L'occurrence simultanée de ces deux événements qui ne présentent aucun lien de causalité, l'arrivée des dépouilles du F-BAZN à Paris et le récital de la chanteuse anglaise ce même soir, à la même heure, prend la forme d'un de ces nombreux *hasards objectifs*, omniprésents, invisibles à nos yeux jusqu'à leur rapprochement, tout comme ces astres scintillants dans le ciel agglomérés en constellation par l'œil et l'esprit. Des points numérotés et reliés d'un cahier de coloriage. Coïncidence forcée ou force du destin, nul ne sait, sinon qu'à ce jeu des dates les plus incroyables associations naissent. Cas célèbre du psychiatre Carl Gustav Jung, une patiente raconte le rêve d'un scarabée d'or quand, à ce moment précis, un scarabée cogne à la fenêtre – un hanneton des roses qui ouvre la porte du doute.

Kathleen Ferrier et Ginette Neveu, deux sœurs en destinée, deux carrières exceptionnelles et foudroyées, deux étoiles filantes. Elles s'étaient rencontrées deux mois plus tôt lors du festival d'Édimbourg, réunies lors d'une unique prestation. Au dîner qui suivit, elles s'étaient amusées de remarquer qu'elles seraient en tournée aux États-Unis au même moment, et s'étaient promis en se quittant de se retrouver coûte que coûte à New York. Ces retrouvailles resteraient lettre morte. Trois jours après le crash des Açores, Kathleen Ferrier écrit à une amie du Wisconsin, Benita Cress :

Londres
Le 31 octobre 1949

Ma chère Benita,

Hier, à mon arrivée, vos deux charmantes lettres m'attendaient – je suis si heureuse pour le concert, bigre, j'espère que je ne vous décevrai pas !

Ce serait plaisant de rester à vos côtés – s'il vous plaît, pourrais-je aller au lit dans l'après-midi ?, c'est que je ne suis pas bavarde et que j'ai besoin d'un peu de sommeil pour réveiller mon vieux cerveau. Je me demande : combien cela prend-il de se rendre du Nouveau-Mexique à San Diego en train ? Je ne veux pas prendre l'avion en janvier – j'ai toujours détesté cela. Je suis restée sidérée par la nouvelle de la mort de Ginette Neveu dans un accident d'avion pour les États-Unis – c'était l'une des plus brillantes violonistes du monde, elle n'avait que trente ans ! Je n'arrive pas même à penser pourquoi cela aurait dû se passer – son frère est également l'une des victimes –, quelle perte ! [...]

Dieu vous bénisse, que tout aille pour le mieux – nous avons réussi à obtenir une deuxième glacière, ainsi la vie est un peu plus simple, et mes bas nylon ne dureront pas jusqu'à mon arrivée aux

États-Unis – nous n'en avons pas du tout ici mais
j'en ai bien profité lors de mon voyage !!
    Amitiés,
    Kathleen

Ginette et Kathleen avaient un ami commun, le chef d'orchestre John Barbirolli. Aurait-il pu se douter qu'à toutes deux il survivrait et composerait à chacune son oraison funèbre. « Je fais le compte de mes bonheurs », écrivit un jour Kathleen Ferrier, Barbirolli, lui, en connut deux, les plus grandes musiciennes de l'après-guerre rassemblées par la seule force du destin un 8 novembre 1949 à Paris.

20

L'année sainte

Pourtant, Seigneur, j'ai fait un perilleux
voyage
Pour contempler dans un béryl l'intaille
de votre image.

Blaise Cendrars,
Les Pâques à New York

Au Québec, *crash* se dit *écrasement d'avion*.

Montréal, août 1949, Guy Jasmin et sa mère embarquent à bord de l'*Empress of France*. C'est par ce même bateau qu'une semaine auparavant Roger Lemelin revenait au pays, auréolé du succès de son roman *Au pied de la pente douce*, publié en France par Flammarion. La Pente-Douce, ce quartier populaire de Montréal qu'aimait à arpenter Guy. Rédacteur en chef du *Canada*, fils dévoué et vieux garçon, il profite de l'invitation du Commissariat général français dans le cadre des préparatifs de l'année sainte de 1950 pour réaliser le rêve de sa mère, Rachel Valois : visiter les lieux de pèlerinage catholiques. Guy Jasmin avait embrassé tôt la carrière de journaliste, sous le patronage d'Olivar Asselin, son modèle et mentor. Dans le Montréal des années 30, avec son ami Willie Chevalier, ils gravissaient un à un les échelons des grands quotidiens québécois. Bientôt, l'un fut au *Canada*, l'autre au *Soleil*. Durant la Seconde Guerre mondiale, Guy avait été volontaire au sein d'un organisme d'aide aux réfugiés français. La France, il l'avait découverte au fil des récits d'expatriés. Il irait un jour. En décembre 1948, il rencontrait un jeune enseignant français du collège Stanislas, un certain Valéry Giscard d'Estaing. Guy lui avait fait part de son voyage en août prochain, ils s'étaient promis de se revoir à Paris. Son reportage sur les préparatifs de l'année sainte le conduirait durant l'été 1949 à Lisieux, à Lourdes, en Italie jusqu'au Vatican, et se prolongerait par une escapade sur la Côte d'Azur. Sa mère était une ancienne musicienne, aussi avaient-ils prévu d'assister à une représentation de *Nabucco* au Teatro dell'Opera di Roma, et au grand concert des adieux de Ginette Neveu à Pleyel, une semaine avant leur retour au Canada.

Et quelle surprise de retrouver la virtuose ce soir du 27 octobre, à leurs côtés, au pied de la plateforme d'embarquement. Rachel n'en revient pas. Elle a gardé le programme du « concert des adieux » et s'empresse, une fois en cabine, de le lui faire signer.

Guy avait été impressionné par son séjour et ses articles traduisaient son enthousiasme. L'année sainte serait, avait-il dit la veille du départ lors d'un déjeuner à l'ambassade du Canada, un événement marquant de l'histoire de la chrétienté.

Les articles de Guy enjoignaient les chrétiens du Québec à s'inscrire aux voyages organisés par les paroisses. Certains peut-être avaient-ils suivi ses conseils ? Nul ne le sait, mais un an plus tard très exactement, le 27 octobre 1950, arrive à Lourdes un groupe de pèlerins canadiens. Ils ont débarqué trois jours plus tôt à Lisbonne par le paquebot *Columbia*. Après la visite de Fatima, Lourdes est la première étape française du voyage, suivront Paris et Lisieux. Apothéose du pèlerinage, l'audience du pape Pie XII au Vatican le 13 novembre. Puis direction l'aéroport de Ciampino d'où ils prennent un avion pour Paris. L'avion, un DC-4 de la compagnie Curtiss-Reid Aircraft, décolle à 14 h 16. Une heure plus tard, l'appareil frappe de plein fouet la Grande Tête de l'Obiou dans l'Isère, sur les hauteurs de La Salette. Il n'y a aucun survivant. Les secours atteignent l'épave le lendemain matin et constatent l'ampleur du drame. Les théories les plus farfelues sur les causes de l'accident circuleront, d'aucuns parleront même d'un détournement de l'avion par des espions russes chargés de récupérer des documents confidentiels du Vatican à destination des États-Unis, confiés aux pèlerins.

21

LES GRANDES POMPES

Les crocodiles ne suivent pas les enterrements, ne sachant pas pleurer.

Francis Picabia

Orly, le 8 novembre 1949 – La compagnie Air France célèbre en grande pompe le deux millième vol transatlantique. Champagne, caviar, homards remplacent les habituels plateaux-repas.

Paris, le 9 novembre 1949, en l'église Saint-Augustin – La veille au soir, les onze cercueils du personnel d'équipage du F-BAZN ont été déposés dans la crypte de l'église Saint-Augustin. Familles, proches, anonymes, officiels des ministères et de la compagnie se sont assemblés à 11 heures pour rendre un dernier hommage aux victimes navigantes du Constellation. Au centre de la nef, sous les arches métalliques d'où pendent de larges chandeliers de fer forgé disposés en fleur, une haie d'honneur composée des collègues de la compagnie se prolonge de part et d'autre des bancs jusqu'à l'autel. En uniforme siglé de l'écusson hippocampe d'Air France, surnommé « la crevette », les collègues de vol tiennent le rang. Saint-Augustin est un stigmate au cœur de la capitale, une énorme choucroute d'inspiration byzantine composite, mélange de pierre blanche et d'arcades métalliques, un non-sens aussi impropre que l'est le Sacré-Cœur, l'infâme insulte aux communards. Avant le début de l'office, des centaines de Parisiens, curieux, avancent au pas, cérémonieux, jusqu'aux cercueils, un circuit dont l'afflux ne cesse qu'à la fermeture des portes. Aux premiers rangs, les familles éplorées, des rangées de voiles de crêpe et de costumes sombres ; quelques rangs en arrière, les officiels, et non des moindres, Max Hymans, le président-directeur général d'Air France, les représentants du ministère, de la préfecture de la Seine, de la police, de l'armée de l'air, à l'extrémité, l'inspecteur Lévis-Mirepoix, le nocher de ces âmes mortes aux Açores. Après l'absoute donnée par Mgr Leclerc, la foule se disperse sous les notes allongées du grand orgue de tribune. Devant le parvis, les bières des membres d'équipage sont chargées dans les corbillards et dispersées selon les lieux d'inhumation respectifs : Jean de La Noüe, le commandant de bord, rejoint son village des Côtes-du-Nord, Pléneuf-Val-André.

Siège central des pompes funèbres, 66, boulevard Richard-Lenoir – Les passagers du Constellation sont présentés à leurs familles. Sur chaque cercueil, les noms et les documents officiels de reconnaissance. L'ultime identification des corps précède le transport vers les cimetières, bientôt, ils rejoindront les caveaux familiaux du Pays basque pour les bergers, d'Alsace pour Amélie Ringler et René Hauth, de L'Haÿ-les-Roses pour Paul Genser, de Bagneux pour Jo Longman, du Père-Lachaise pour Ginette Neveu ainsi que six anonymes regroupés en un mausolée du passager inconnu, érigé pour ces corps sans nom, que, dans le doute, les possibles pays étrangers concernés ont refusé de rapatrier. Parmi eux, peut-être, Remigio Hernandores, Hanna Abbott, Yaccob Raffo, Eghline Askhan, Mustapha Abdouni, James Zebiner, mutés en apatrides de l'est parisien.

Cimetière Saint-Laurent, 805, avenue Sainte-Croix, Montréal, Canada – Les dépouilles de Guy et Rachel Jasmin sont arrivées à Montréal le 7 novembre, et deux jours plus tard, la communauté des journalistes québécois se réunit en l'église Sainte-Madeleine d'Outremont pour rendre hommage au rédacteur en chef du *Canada* et à sa mère. Tous les journaux du pays, jusqu'au *Time Magazine* de New York, ont envoyé un représentant. Son ami, Arthur Prévost, lit devant l'assistance une carte postale de Guy envoyée la veille du départ.

10 novembre, Casablanca, en l'église Notre-Dame-de-Lourdes – Depuis deux jours, le défilé des Casablancais devant la dépouille du boxeur n'a cessé. Une ferveur douloureuse, l'ombre portée du retour victorieux. Une longue file serpente dans les allées arborées du parc Lyautey. Sous le soleil éclatant de l'automne marocain, mines accablées, regards sombres et perdus patientent dans l'espoir de se recueillir quelques instants. La nuit n'arrête pas la procession des anonymes et les gerbes et couronnes de fleurs s'amoncellent autour du catafalque orné d'un C majuscule et entouré de cordes de ring. Les gardes, à intervalles réguliers, purgent la pièce de ces offrandes. Et l'on compte déjà dix registres complets de signatures. Casablanca s'est arrêtée, les funérailles dureront le temps qu'il faudra, la peine est immense.

À 10 heures du matin le 10 novembre se déroule en l'église Notre-Dame-de-Lourdes les obsèques du champion. Il a fallu près de cinquante taxis pour transporter les monceaux de fleurs accumulés. Le cortège automobile sur Anfa prend l'allure d'un défilé militaire. C'est une journée magnifique, décrétée fériée, soixante-dix mille personnes entourent le lieu du culte. Dans l'église sont présents la famille royale du Maroc, Mme la générale Juin, M. Francis Lacoste, ministre plénipotentiaire,

M. Négrier, directeur du cabinet civil, le président de la Fédération française de boxe, M. Grémaux, arrivé le matin même à 4 heures. Aux premiers rangs, la famille Cerdan, Marinette et ses trois enfants, les cousins, oncles, amis. René Cerdan, le neveu, boxeur débutant et *sparring partner* cet été encore de Marcel, jette l'eau bénite, inconsolable, il s'effondre sur le cercueil. L'ancien manager Lucien Roupp est aussi dans l'assistance. Après la cérémonie, le cortège s'anime jusqu'au cimetière Ben M'Sik. Le prêtre prononce l'oraison funèbre et les fossoyeurs jettent les premières pelletées de terre.

Retour au siège central des pompes funèbres, 66, boulevard Richard-Lenoir – Ginette Neveu devait être enterrée le 9 novembre au Père-Lachaise. Quant à Jean, son corps n'a pas été retrouvé. 11e division, sur la tombe un violon en bas-relief a été sculpté et surmonté d'une stèle qu'orne un médaillon de bronze, portrait de profil de la violoniste, où est inscrit :

ICI REPOSE
GINETTE NEVEU
1919-1949

À LA MÉMOIRE DE JEAN NEVEU
SON FRÈRE
1918-1949

TOUS DEUX VICTIMES
DE LA CATASTROPHE
AÉRIENNE DES AÇORES
LE 28 OCTOBRE 1949

Pourtant, l'inhumation est annulée. Au siège des pompes funèbres, Marie-Jeanne Ronze-Neveu refuse de reconnaître le corps de sa fille.

22

DU MONDE ENTIER

Apprends à vendre à acheter à revendre.

Blaise Cendrars,
Tu es plus belle que le ciel et la mer

L'avion est un luxe. Seuls passagers des classes populaires, les bergers basques et Amélie Ringler, la bobineuse de Mulhouse, ne doivent leur présence qu'au contrat américain pour les premiers, au mandat de sa marraine pour la seconde. « Avion des stars », affiche-t-on dans les dépliants de la compagnie Air France, les voyageurs sont des privilégiés, une élite. C'est aussi le mode de transport des hommes pressés, des hommes d'affaires. Le soir du 27 octobre embarquent à Orly les commerçants du Nouveau Monde spécialisés dans l'import-export. Tour de Babel, la liste reproduite sur les manchettes des journaux élargit davantage le spectre des continents balayés par les passagers.

Un précipité du monde dont la formule chimique pourrait se décomposer ainsi :

John Abbott, cinquante-quatre ans, revenait de Syrie avec sa femme, Hanna, trente-quatre ans, épousée un mois plus tôt, ils vivaient à Butte dans le Montana.

Mustapha Abdouni, vingt-sept ans, fermier originaire de Syrie, rejoignait sa femme à Logan, où il rencontrerait pour la première fois son fils de vingt et un mois.

Eghline Askhan, trente-quatre ans, importateur turc.

Joseph Aharony, quarante-cinq ans, avocat israélien.

Edouard Gehring, vingt-neuf ans, manufacturier américain.

Remigio Hernandores, quarante-neuf ans, industriel cubain.

Emery Komios, trente-deux ans, avocat américain.

Yaccob Raffo, vingt-trois ans, chauffeur irakien.

Maud Ryan, née Gibrat, cinquante-trois ans, s'était mariée avec un soldat américain en 1919. Elle revenait d'un voyage de famille en France. Elle vivait à Atlantic City.

Margarida Sales, née Castel, trente-neuf ans ; son mari, Philippe Sales, quarante ans, exportateur new-yorkais.

Raoul Sibernagel, cinquante-neuf ans, président de la Selsi Company de New York, une maison d'importation de matériel optique, revenait d'un voyage d'affaires à Paris. Sa femme a espéré jusqu'au dernier moment, affirmant, dans le hall de l'aéroport de New York, à la presse : « S'il y a des survivants, mon mari sera parmi eux, il a toujours eu de la chance ! »

Irène Sivanich, cinquante-sept ans, de Detroit, veuve, immigrée yougoslave, elle rendait visite à sa mère.

Edward Supine, trente-neuf ans, importateur de dentelle à Brooklyn, il revenait d'une visite dans les ateliers de confection de Calais.

James Zebiner, cinquante-deux ans, commerçant mexicain.

23

Rouge pour Ginette, verte pour Amélie

*Et j'ai deux fois vainqueur traversé
l'Achéron :
Modulant tour à tour sur la lyre
d'Orphée
Les soupirs de la Sainte et les cris
de la Fée.*

Gérard de Nerval, *El Desdichado*

Ce corps de jeune femme à la morgue, au visage calciné et à la robe verte, n'est pas sa fille, elle en est certaine, elle le répète. Ces ongles sont bien trop longs, ceux de Ginette sont taillés afin de ne pas la gêner dans son jeu. On raisonne Marie-Jeanne Ronze-Neveu, on lui sert même la légende des cheveux et des ongles qui continuent à pousser après la mort. L'atmosphère est pesante, à voix basse les officiels assurés de leur affaire perçoivent dans l'esclandre du déni. Il n'en est rien. Cette robe n'est pas celle de sa fille, cette chaîne avec une médaille égyptienne autour de ce cou, elle ne l'a jamais vue, la carrure fine et longiligne de ce corps n'est en rien comparable aux larges épaules qu'elle connaît. Elle persiste, s'énerve, et le cadavre est finalement transporté à l'Institut médico-légal. Après l'examen dentaire, plus aucun doute ne subsiste. Ce n'est pas Ginette Neveu. Parmi les anonymes regroupés quelques heures plus tard dans le mausolée commémoratif au Père-Lachaise, on cherche en vain la virtuose. Devant leurs yeux, parmi les six corps mutilés, une seule femme, et à l'évidence, ce n'est pas Ginette. Au malheur de la disparition s'ajoute le tourment du mystère. Le sort s'acharne sur la famille Neveu qui découvre qu'aucune des dépouilles de leurs enfants, n'est revenue des Açores.

Une erreur est possible, avance-t-on. Le beau-frère de Ginette, M. Barret, mène l'enquête. Il consulte les registres de la compagnie, cible les femmes entre vingt et trente ans, plusieurs noms sur la liste correspondent aux critères : Amélie Ringler, la bobineuse de Mulhouse, vingt-sept ans ; Hanna Abbott, syrienne, trente-quatre ans ; Françoise Brandière, étudiante en espagnol franco-cubaine, vingt et un ans ; Thérèse Etchepare, bergère basque, vingt et un ans, Suzanne Roig, hôtesse de l'air, trente ans. Muni d'un indice, la médaille égyptienne, il appelle chacune des familles. Le 26 novembre, il parvient à joindre Xavier Ringler, le père d'Amélie. Il s'agit bien du pendentif de sa fille, et effondré, l'homme annonce qu'elle a été inhumée le 11 novembre au cimetière de Bantzenheim. Après avoir appelé la préfecture du Haut-Rhin, Barret se rend immédiatement à Mulhouse, au domicile de la famille Ringler, 24, passage Marignan. On lui raconte l'enterrement, on le conduit devant la sépulture. À 8 heures du matin, les employés des pompes funèbres déterrent le cercueil de zinc et l'ouvrent à l'aide de pieds-de-biche. Nul doute, la robe rouge à manches beiges est bien celle de sa belle-sœur, Ginette. Un corbillard rapatrie le cercueil à Paris. Le 29 novembre, on se réunit au Père-Lachaise, 11e division, à quelques tombes de Frédéric Chopin, Ginette Neveu repose enfin. Au même moment, Xavier Ringler se rend à Paris afin d'identifier le cadavre d'Amélie ; quelques jours plus tard, de nouvelles funérailles ont lieu à Bantzenheim. Une nouvelle fosse est creusée, définitive ; l'autre restera vide, seule une croix de bois plantée dans la terre par deux fois remuée signe la malédiction de la robe rouge et de la robe verte.

24

PROSOPOPÉE

Les baisers écrits ne parviennent pas
à destination, les fantômes les boivent en
route.

Franz Kafka, *Lettres à Milena*

Les résultats de l'enquête n'ont pas permis d'expliquer le drame des Açores. Les viscères métalliques de la carcasse n'ont rien livré du secret du Constellation. Comment l'avion s'est-il retrouvé déporté ainsi sur l'île voisine de São Miguel et quel concours de circonstances l'a amené à percuter l'extrémité du pic ? Quel diable s'est ingénié à faire concorder autant d'erreurs jusqu'à un impact aux probabilités nulles ou presque ?

Ce *presque* au centre de toutes les attentions, ce hasard dont il faut dénouer les ramifications pour l'extraire de la fatalité. Deux lois gouvernent l'histoire de l'aéronautique et concourent à l'intérieur de l'opinion publique à transformer un enchaînement de causes rationnelles en un signe magique de la destinée : la loi des séries et la loi de Murphy. La première est le fruit d'un aveuglement aux événements heureux et d'une accentuation par le relevé médiatique des drames d'une série. La seconde, son corollaire, tient dans l'adage absurde qu'une succession d'erreurs trace une prédestination des catastrophes : « Tout ce qui peut mal tourner va mal tourner. » Cette constante du pire des scénarios possibles gouverne aux règles de l'aéronautique : déjouer la statistique par le principe de précaution. En 1949, il n'est pas encore possible de faire parler les morts. L'ancêtre des boîtes noires, l'hussenographe, enregistreur photographique et non audio inventé par François Hussenot, ne s'est pas généralisé. Et les enquêteurs de la compagnie Air France ne peuvent se fier qu'aux échanges avec la tour de contrôle et aux débris de l'appareil. Ces deux pistes épuisées, la reconstitution exacte du vol peut permettre d'expliquer les défaillances. L'avion fantôme, un Lockheed Constellation, matricule F-BAZO, reprendra le tracé et tentera d'instaurer outre-tombe un dialogue avec l'échassier des Açores. En termes rhétoriques, l'avion qui s'apprête à décoller d'Orly le 7 décembre 1949 est une prosopopée. Ce livre n'en est pas une. La fiction d'un *je* omniscient enfilant les vêtements des victimes comme l'on se glisse dans les costumes d'un petit théâtre d'époque n'existe pas. La description du vol, l'agencement des personnages en

138

partie de ce tout que fut l'avion, est le seul point de vue, le seul effet de manches, espérons qu'il n'en cache aucun autre. L'équipage du vaisseau fantôme a été nommé par un arrêté ministériel publié dans le *Journal officiel* du 9 novembre 1949. On y retrouve l'inspecteur de l'aviation civile et commerciale Lévis-Mirepoix, ainsi que Fournier, l'ingénieur en chef de l'Air. Intégré à l'équipe, le chef de la section « enquêtes d'accidents et sécurité » de la compagnie, Maurice Bellonte ; Jean Dabry, un pilote de la trempe du commandant de bord Jean de La Noüe, tiendra le manche ; on compte également du personnel navigant et un ingénieur de Météo France. Les rejoignent des représentants du constructeur Lockheed Aircraft, soucieux du sort réservé à l'un de leurs modèles. L'avion-témoin s'envole à 16 heures de la piste d'Orly.

À la pesée, F-BAZO et F-BAZN boxent en même catégorie – poids moyens. À ma droite, le F-BAZO, 28 415 kilogrammes, a obtenu son certificat de navigabilité le 27 février 1948 et a été mis en service le 21 mars en reliant Paris à Saigon via Le Caire, Karachi et Calcutta en soixante-sept heures. Il intégrait la flotte des longs-courriers des colonies, cinq ans plus tard l'Indochine obtiendra son indépendance. À ma gauche, le F-BAZN, 27 835 kilogrammes, certificat de navigabilité le 26 février 1947, endommagé le 6 avril 1949 lors d'un atterrissage mouvementé sur le tarmac d'Orly, saumon plan gauche dégivreur, aile endommagée sur deux mètres, panneau extrême arrière de l'extrados du plan gauche plissé sur vingt centimètres et abîmée sur trois au droit de la nervure de rive et de la charnière d'aileron. À ces détails près, les deux avions sont identiques, le F-BAZO remplit parfaitement son rôle de *sparring partner* et s'apprête à effectuer sur la ligne sud des Amériques une *shadow boxing*, ou plutôt *flying*, idéale pour le rapport de la commission d'enquête. Le tracé spectral fera pourtant une entorse à la diagonale du 27 octobre en intégrant à son plan de vol deux escales, la première à Madrid afin d'accueillir des représentants de l'armée de l'air espagnole, la seconde à Lisbonne où embarqueront le directeur de l'aviation civile portugaise et le préposé aux lignes aériennes.

Faire parler les morts, tourner les tables et convoquer les âmes pour leur extirper un dernier rappel, une voix bissée de l'au-delà. Gangrène des survivants, rongés par le manque, des creux de haut mal en haut-le-cœur. Armée d'inconsolables implorant un signe devant des tombes sourdes, réveillés en pleine nuit par l'appel qui n'est que l'absence martelant sa présence. Édith Piaf sombre au royaume des morts, elle reste persuadée qu'elle retrouvera le boxeur. « J'ai la certitude que Marcel vit et qu'il m'attend », dit-elle. Le crash est devenu une obsession, le signe noir de sa destinée : « C'était la première fois que j'aimais et puis voilà, on m'enlève tout. On me brise le cœur, on me l'arrache. On me l'écrase. Je voudrais mourir mais j'ai peur de ne pas le retrouver si je me suicide », écrit-elle à son ami comédien Robert Dalban. La frayeur de disparaître sans le retrouver. Début décembre, elle reçoit un appel de Marie-Jeanne Ronze-Neveu. Une longue conversation qu'Édith étire au possible, enfin une sœur en douleur peut la comprendre, l'entendre. La mère de Ginette lui raconte être parvenue à dialoguer avec sa fille, un soir, tard, en avoir éprouvé une grande joie, rassurée de la savoir en paix. C'est pour Édith une parole qu'elle entend avec espérance et jalousie, pourquoi ne parvient-elle pas elle aussi à retrouver Marcel ? Elle devient bigote, court les églises, achète un chapelet, se rend dans une synagogue, convoque mages, voyantes, charlatans en tout genre. Puis, chez un antiquaire américain, elle dégote un guéridon, l'objet tant convoité, passerelle avec l'au-delà. Michel Emer, ami et compositeur de la chanson *L'Accordéoniste*, lui raconte les séances de spiritisme de Victor Hugo à Guernesey. Les appels nocturnes à Hauteville House, la table tournante devenue le lien avec sa fille disparue, Léopoldine. Un guéridon à trois pieds dictant jusqu'à quatre mille mots. Et les esprits qui affluaient dans le salon du poète, Chateaubriand, Dante, Eschyle, Rousseau, Machiavel, André Chénier venu mettre un point final à un sonnet inachevé, Shakespeare dictant un nouveau drame, *La Forêt mouillée*. La table, ou

« la bouche d'ombre » telle que la désigne Victor Hugo, l'enjoignait de poursuivre son œuvre, « le roman est pour demain », télégraphia-t-elle de sa langue de bois. Édith espère entendre Marcel lui pardonner, elle se sait fautive, elle l'a réclamé, lui a demandé de changer son billet, d'arriver par le vol du 27 octobre, elle pense lui avoir volé sa vie par pur caprice. Elle-même avait la phobie des avions, et, à ses amis qui, essayant de la rassurer, lui affirmaient quand elle avait un vol à prendre que son heure n'était pas venue, elle répondait par un mot d'esprit : « Et si c'était l'heure du pilote ? » Pourquoi, se dit-elle, avoir oublié cette crainte, guidée qu'elle était par l'impatience et l'égoïsme ? Après de nombreuses séances à faire tourner le guéridon, Marcel lui revient. Il lui parle, l'apaise un temps. Retrouvailles de courte durée, le guéridon magique se détourne de la première quête et lui reproche sa pingrerie. Le petit meuble se transmue en conseiller financier, essentiellement au profit de la confidente Momone. L'intermédiaire devient maître chanteur, Édith s'en méfie, s'en détourne. Elle ne fera plus parler les morts.

Une légende relie la rédaction de *L'Hymne à l'amour* à la mort de Marcel Cerdan. Il n'en est rien, la chanson fut écrite au printemps 1949 et était destinée, dans un premier temps, à Yvette Giraud, une jeune chanteuse qu'Édith avait prise sous son aile. En 1959, *La Belle Histoire d'amour* sera son hymne à Cerdan : *C'est ta voix que j'entends,/ C'est tes yeux que je vois,/ C'est ta main que j'attends,/ Je n'appartiens qu'à toi.*

Quatre ans avant sa mort, Piaf dans son autobiographie, *Au bal de la chance*, écrit : « J'aurais voyagé des milliers de kilomètres pour écouter la grande Ginette Neveu. »

25

Dernières nouvelles d'Alsace

Tu sais où ils m'enverront. En avant de la ligne Maginot : c'est le casse-pipe garanti.

Jean-Paul Sartre, *L'Âge de raison*

De bonne grâce René Hauth avait abandonné son poste de secrétaire général des *Dernières nouvelles d'Alsace*. Incorporé par l'état-major de l'armée française, il intégrait en janvier 1940 les services du contre-espionnage postés à la frontière luxembourgeoise. À Longeville-lès-Metz avait été installé l'officine du BREM, le Bureau régional d'études militaires de Metz. La compagnie, disposée aux avant-postes de la ligne Maginot, surveillait l'espionnage allemand de l'autre côté de la frontière. Des nuits entières à se relayer avec son acolyte Auguste Clément et tenter de capter les transmissions codées, à rédiger rapport sur rapport et à croiser les informations contradictoires afin de deviner date, heure et lieu de l'invasion et se prémunir d'une offensive-surprise. Début avril, il participait en accord avec le gouvernement luxembourgeois à l'installation d'un dispositif d'alerte qui suppléerait en cas d'attaque au réseau téléphonique existant. Un vaste système de postes émetteurs-récepteurs à ondes courtes placé le long de la frontière du Luxembourg. René avait cru à la der des ders, militant pacifiste, journaliste au *Progrès civique,* il pourfendait les profiteurs de guerre et prônait le renforcement de la Société des Nations. Il se définissait comme radical-socialiste et œuvrait, selon le slogan de l'hebdomadaire, à fabriquer un « journal honnête pour les honnêtes gens ». Désormais, l'illusion d'une paix mondiale instaurée par le dialogue et la conciliation semblait à mille lieues de ce jeu de dupes. Il craignait le retour des tranchées et ne croyait guère au système de défense des généraux, au mythe de l'insurmontable ligne Maginot, un conte bon pour les troufions, se disait cet homme à l'écoute des préparatifs de la Wehrmacht. L'attaque serait massive et ne ressemblerait en rien aux lignées de baïonnettes tendues face à face sur le Chemin des Dames, les tanks écraseraient les résistances d'un autre temps et imposeraient la loi de l'éclair.

À 4 h 30, le 10 mai 1940, l'armée allemande franchit la frontière luxembourgeoise, et comme prévu, le dispositif d'alerte vient pallier la neutralisation du réseau téléphonique. À pied d'œuvre, René suit l'avancée des troupes belligérantes et le repli des casernes alliées. Dans l'après-midi, il convient non plus d'organiser la riposte mais le rapatriement d'une partie des habitants et le transfert du gouvernement voisin comme de la famille royale. Accompagné du lieutenant Doudot, il coordonne la levée des obstacles qui barrent la route entre Rodange et Longwy facilitant l'exode des populations. Puis, il se voit confier une mission de la plus haute importance – veiller à la sécurité et à l'exfiltration de la grande-duchesse du Luxembourg, Charlotte. Secret-défense. Il portait comme un haut fait d'armes cette fuite de Varennes à l'envers, contre-révolution de dignitaires dépassés, qui, en à peine vingt-quatre heures, pliaient bagages et filaient à l'anglaise. Ordre avait été donné de conduire le convoi jusqu'à Longwy-Haut où le capitaine Archen prendrait le relais et conduirait la famille royale en Dordogne au château de Montastruc.

La drôle de guerre débutait, René se porta volontaire pour une mission dans les Balkans. De ce voyage nous ne savons rien, en bon espion, il demanda à Marguerite, sa femme, de brûler les archives avant son départ. Le 17 juin, l'armistice de l'armée française signait la fin de sa mission d'agent double. Début juillet, il donnait rendez-vous à sa femme et à son frère à Lyon, et leur annonçait son départ pour les États-Unis, où il tenterait d'intégrer les Forces françaises libres. Sa famille resterait en Alsace, confiée à son frère. Durant cinq années, il chercha par tous les moyens à rejoindre les services d'intelligence alliés : son origine alsacienne était un frein à son incorporation. Alors, il mena une double vie, fit le pied de grue auprès des autorités, s'installa, acheta une maison, et finalement parvint à prêter main-forte aux services d'espionnage américains – déchiffrage de codes, traduction, brouillage, menues tâches loin des secrets de l'Enigma.

Le 8 mai 1945, la guerre finie, René prenait le premier paquebot direction la France. Il n'avait qu'une idée en tête, convaincre sa femme d'immigrer aux États-Unis et trouver un poste de correspondant à *Combat* ou à *L'Aurore*. La conversation tournait court, il n'en était pas question, elle attendait son retour depuis cinq ans, il oublierait ses rêves d'Amérique sur-le-champ et retrouverait sa place de secrétaire général aux *Dernières nouvelles d'Alsace*, au 17, rue de la Nuée-Bleue. Octobre 1949, résigné à la vie alsacienne, il se décide à vendre la maison de New York. Il lui faut, pour régler les dernières formalités, s'y rendre. Le 27 octobre, par le vol Air France F-BAZN, René Hauth met un point final à son rêve américain.

Novembre, un employé d'Air France téléphone au domicile des Hauth. La veuve de René répond, on lui explique la situation : le corps de son mari n'a pas pu être identifié, souhaite-t-elle qu'il soit inhumé dans un caveau commun au Père-Lachaise ou qu'un cercueil vide soit rapatrié ? Son beau-frère écoute la conversation, il n'est pas question que René soit un de ces morts sans sépulture. Son cousin, René Fontaine, professeur de médecine, assure qu'il pourra l'identifier et propose de se rendre à la morgue du boulevard Richard-Lenoir accompagné du dentiste du défunt. En quelques minutes, ils reconnaissent son corps – nul besoin de science, en fouillant la poche d'une des dépouilles anonymes, ils retrouvent le passeport de René. Pas d'alliance. Avait-il été dépouillé par les pillards de la montagne ? Des récits abominables circulaient, on racontait, effaré, que des doigts avaient même été coupés. À leur retour, Marguerite les rassure. René jouait souvent au golf et l'anneau le gênait, ils avaient convenu qu'elle porterait les deux.

26

Symphonie pour un avion seul

> *La machine crée aujourd'hui un si grand nombre de bruits variés que le son pur, par sa petitesse et sa monotonie, ne suscite plus aucune émotion.*
>
> Luigi Russolo, *L'Art des bruits*

Le 5 octobre 1949, la première œuvre de Pierre Schaeffer, *Cinq études de bruit*, est retransmise sur la RTF. Un « concert de bruits » composé de cinq pièces : *Déconcertante* ou *Étude aux tourniquets* ; *Imposée* ou *Étude aux chemins de fer* ; *Concertante* ou *Étude pour orchestre* ; *Composée* ou *Étude au piano* ; *Pathétique* ou *Étude aux casseroles*. Rejoint par Pierre Henry, Schaeffer fonde le Groupe de recherche de musique concrète (GRMC) et ils enregistrent ensemble *Symphonie pour un homme seul,* deux parties de la création portent comme titre « Prosopopée ». Leurs recherches se concentrent sur l'agencement des

bruits, la composition d'éléments concrets prélevés du réel et qui, mis bout à bout, forment un
son continu, une musique. En décembre 1949, au
moment même où l'avion F-BAZO mime dans le
ciel le vol dramatique du F-BAZN pour tenter d'en
extraire quelques causes, Pierre Schaeffer formalise
cet art des bruits dans la revue *Polyphonie* en ces
termes : « musique concrète ». Dans ce manifeste
des sons animés, il écrit : « Ce parti pris de composition avec des éléments prélevés sur le donné
sonore expérimental, je le nomme, par construction, Musique Concrète, pour bien marquer la
dépendance où nous nous trouvons, non plus à
l'égard d'abstractions sonores préconçues, mais
bien des fragments sonores existant concrètement,
et considérés comme des objets sonores définis et
entiers. » Vous me direz : quel rapport avec notre
histoire d'avion perdu aux Açores et de reconstitution du plan de vol par le service d'enquête d'Air
France ? Je vous répondrai : pas grand-chose en
réalité, sinon une certaine parenté, et toujours,
l'esprit d'escalier et des correspondances étranges,
la synchronicité de certaines dates. À l'instar de
l'*Étude aux chemins de fer* de Pierre Schaeffer
– un enregistrement de locomotives à vapeur –, ce
tronçon reconstitué par le F-BAZO dans la nuit
du 7 au 8 décembre 1949 aurait pu s'intituler *Étude
aux plans de vol*. Ces inspecteurs de l'aviation française embarqués dans le tube chromé Constellation
sont à la recherche de sons, discordants, continus,

absents, ils traquent comme les compositeurs le bruit et ses défaillances, ce sont des techniciens radiophoniques. Vous en doutez, vous trouvez la comparaison outrée, pourtant ces hommes ont pour mission de tendre l'oreille, blottis dans une carlingue au-dessus de l'Atlantique, aux dispositifs de guidage radio-électrique égrenés, tels les cailloux du Petit Poucet, en balises le long de la ligne sud des Amériques. Pour entendre cette musique aéronautique, il faut connaître son solfège. Le vol de la commission d'enquête nous fournira un bel exercice de gammes. Sa mission principale : vérifier, en empruntant minutieusement la route tragique du 27 octobre, le bon fonctionnement des balises de navigation et radiophares tout du long de cette diagonale qui sépare Orly de Santa Maria. Un radiophare, comme son nom l'indique, précise aux bateaux ou aux avions les coordonnées exactes au sol, par un guidage radio-électrique que l'on appelle, non sans poésie, « route sonore ». Soyons techniques : ces radiophares permettent de tracer dans le ciel deux routes perpendiculaires qui se rejoignent par leur angle droit en une croix, le signal se trouve à la verticale de l'emplacement de la balise.

Les chemins ainsi tracés virtuellement dans le ciel sont composés d'un plan vertical sonore relié à longue distance aux balises émettrices au sol. Leur portée optimum dépend des conditions météorologiques – par gros temps, évidemment, le signal est plus faible. Comment se matérialise à l'intérieur de l'avion cette carte sonore ? C'est assez simple, si l'appareil dérive à droite de la route ainsi tracée, le technicien radio percevra une série de sons longs appelés « traits » ; s'il se déporte à sa gauche, il entendra une série de sons courts, cette fois-ci nommés « points » ; et, bien entendu, quand le pilote reste bien sagement fixé sur la ligne balisée par les émetteurs au sol, traits et points se confondent en un seul son continu. Dans le cas du vol F-BAZN, le fait qu'il ait percuté le mont Redondo témoigne d'une dérive importante. Pourquoi se sont-ils ainsi déportés au nord de l'archipel, et comment n'ont-ils pas été prévenus de l'erreur par la tour de contrôle de Santa Maria lors des procédures d'atterrissage quelques minutes avant l'impact ? C'est ce que les inspecteurs de l'aviation civile vont s'ingénier à comprendre lors de cette simulation.

Après les escales à Madrid et à Lisbonne, Jean Dabry, le pilote du Constellation F-BAZO, se dirige vers l'archipel, et, à l'intersection des Açores, il récupérera la route funeste de son prédécesseur.

LA QUARANTE-NEUVIÈME VICTIME
DU CONSTELLATION

> *Chaque perte, le départ d'un chanteur*
> *ou d'un artiste aimé, se transformait*
> *irrésistiblement en deuil national.*
>
> Stefan Zweig, *Le Monde d'hier*

La première fois que Margarête Froehmel entendit Ginette Neveu, lors du concours international de Vienne en 1931, ce fut une révélation. Elle avait été émue aux larmes par cette gamine de douze ans dont la *Chaconne* de Bach n'avait rien à envier aux interprétations de ses concurrents, adultes pour la plupart. Depuis, elle n'avait manqué aucun des passages de la virtuose en Autriche et découpait méthodiquement dans les quotidiens les articles à son sujet. Dans un grand cahier se trouvaient répertoriés les échos du prix Wieniawski en mars 1935, les concerts en Allemagne, les tournées soviétique et américaine. Une photographie de Ginette était apposée en marie-louise sur le cuir de ce livre aussi précieusement relié que les ouvrages dont elle avait la responsabilité dans la bibliothèque municipale du IXe arrondissement de Vienne. Elle en était la directrice. Son mari était mort sur le front russe, enrôlé dans les rangs de la Wehrmacht deux ans après l'Anschluss. La bibliothèque avait été partiellement détruite lors du siège de Vienne en avril 1945. L'entrée de l'Armée rouge le 13 avril signait la fin de l'occupation nazie. La capitale n'était plus qu'un champ de ruines et, trois jours durant, le spectacle du déferlement des soldats russes l'avait traumatisée.

La Philharmonie de Vienne avait été durement touchée par la guerre. Dès 1935, l'antisémitisme rampant contaminait jusqu'aux créations artistiques. Trois jours avant la première de *La Femme silencieuse* de Richard Strauss, le nom de Stefan Zweig, auteur du livret, disparaissait des affiches. En 1938, Wilhelm Jerger, membre des SS, avait été nommé à la tête de la Philharmonie. La politique de nazification de l'orchestre avait décimé les rangs, le violoniste Clemens Hellsberg ainsi que six musiciens juifs avaient été assassinés, dix autres déportés vers les camps de la mort.

Margarête conservait précieusement les enregistrements EMI de Ginette Neveu, les concertos de Brahms et de Sibelius, la *Sonate* de Debussy, le *Tzigane* de Ravel, les *Quatre pièces* de Suk et le *Poème* opus 25 de Chausson. Les vinyles tournaient en boucle sur le phonographe jusqu'à labourer la patine de ces 78 tours. Cette fascination virait à l'obsession. Apprenant la venue de Ginette Neveu pour une série de concerts, elle se précipitait à la Philharmonie pour s'assurer d'obtenir une place à toutes les représentations. Sept soirs transportée par le Stradivarius de la violoniste et la chance à l'issue de l'ultime récital de la rencontrer, de lui parler. Elle pensait qu'une amitié était née, Ginette lui avait laissé son adresse à Paris, elles pourraient correspondre.

Le 31 octobre 1949 au soir, Margarête débute la lecture du quotidien *Die Presse*. Elle tombe page 4 sur un article consacré au lointain drame des Açores. Elle décroche la photographie de Ginette Neveu, découpe la page du journal et inscrit au bas au crayon : « *Ich bin verzweifelt…* » (« Je suis désespérée… »). Elle se dirige vers la cuisine, saisit le tuyau du réchaud à gaz, le serre entre ses dents et enfonce le bouton. Elle est découverte le 1er novembre, allongée, la photographie et l'article dans la main. La presse du monde entier relaye l'information. S'ajoute au décompte celle que l'on surnomme désormais « la quarante-neuvième victime du Constellation ».

28

L'aurore boréale

Ne t'attarde pas à l'ornière des résultats.
René Char, *Feuillets d'Hypnos*

Au large de Lisbonne, l'équipage du F-BAZO commence le relevé détaillé au radiocompas manuel. Tout y sera consigné – la réception des radiophares de la zone, l'interférence des émetteurs terrestres du Portugal, les échanges avec la tour de contrôle des Açores. Ils doivent comprendre au terme de l'enquête les raisons d'une telle dérive du Constellation F-BAZN – à presque quatre-vingt-dix kilomètres du point prévu. L'analyse des débris de l'avion a d'ores et déjà mis hors de cause le constructeur. La reconstitution vise à explorer les seules pistes désormais plausibles, les conditions d'approche de l'archipel. Sans boîte noire, les erreurs de pilotage sont invérifiables. Il est ainsi primordial pour les experts d'analyser le moindre détail entre Lisbonne et Santa Maria.

En mer, à quelques centaines de kilomètres du Portugal, un premier incident, mineur, préoccupe la commission d'enquête. L'avion ne peut capter le signal BB7 de l'aérodrome de Santa Anna. Il y a un brouillage entre deux signaux : le radiophare des Açores qu'ils ne parviennent pas à obtenir, et le signal de Séville en Espagne, pourtant à des centaines de kilomètres, qu'ils reçoivent parfaitement, précisément cinq sur cinq. Le détail est d'importance, à ce stade du parcours, le contraire aurait dû se produire et le signal lointain des terres s'éteindre à mesure de l'avancée. Et cette incohérence perdure durant le reste du vol, à 21 h 53 Séville reste captée cinq sur cinq, le signal ne faiblira légèrement qu'à 22 h 22. Le croisement des ondes perturbe l'orientation exacte du vol de plusieurs dizaines de kilomètres au nord, à l'instar du vol tragique du 27 octobre. Quand l'onde de *beacon* de São Miguel est enfin perçue à deux sur cinq, une heure et demie avant l'atterrissage, elle disparaît par la suite des radars pendant près de sept minutes, au moment même où les inspecteurs d'Air France survolent le pic Algarvia, lieu du crash... La faillibilité des radiophares associée à l'interférence de l'émetteur de Séville apparaît dès lors comme la piste privilégiée. Un mystère demeure, les derniers mots du pilote : « *I have the field in sight !* » Quel terrain a-t-il en vue ? Comment peut-il, quelques secondes avant l'impact, percevoir ce qui ressemblerait à une piste d'atterrissage avec ses lumières balisées ?

Au contraire de celles sur l'île de Santa Maria, les conditions météorologiques le soir du 27 octobre sur São Miguel étaient particulièrement mauvaises. On se rappelle la surprise des pilotes à l'approche de l'archipel, troublés de ne pas trouver le ciel dégagé décrit par la tour de contrôle de Santa Maria quelques minutes plus tôt. Le pilote engagé dans la phase d'atterrissage, après avoir traversé l'épaisse couche de nuages, aurait été trompé par la réfraction des lumières du village de Povoação au pied du pic, équipé depuis peu de l'électricité. Les éclairages voisins auraient été comme une aurore boréale. Par gros temps, le pilote induit en erreur par la visibilité réduite aurait ainsi pris ces halos de lumières dispersées au sommet du mont pour une piste d'atterrissage. Le hasard s'est surpassé pour que l'altitude de l'appareil corresponde au sommet – à quelques dizaines de mètres, le Constellation aurait frôlé le pic. « Dieu ne joue pas aux dés », dit l'adage, le F-BAZN dans la nuit du 27 au 28 octobre a fait *Yahtzee*.

Le 26 juillet 1950, la commission d'enquête remet son rapport au ministère des Transports, en voici les conclusions :

Sans pouvoir rejeter avec certitude absolue la possibilité d'une erreur d'interprétation, la commission est d'avis que la navigation inexacte du BAZN est due à une défaillance subite, en fin de parcours et insoupçonnée par l'équipage, de certains éléments de sa réception radiogoniométrique, propagation radioélectrique anormale ou fonctionnement devenu défectueux. Cette cause s'est combinée avec un excès de confiance dû à de bonnes conditions atmosphériques régnant dans la zone de l'arrivée, conditions qui n'ont pas incité le commandant de bord à vérifier ses points radio comme il l'aurait fait dans des conditions atmosphériques plus défavorables. Une confusion visuelle dans l'obscurité s'en est finalement résultée.

Le F-BAZO a rempli sa mission, il rejoint la ligne Paris-Saigon d'Air France. Hasard des dates, encore et toujours, il sera vendu en 1971 au domaine de Macon et ferraillé un… 27 octobre.

29

HENNESSY *VERSUS* AIR FRANCE

> *Pour nous, avant l'accident, il y avait
> la vie, la vraie vie, la vie réelle si moche
> qu'elle ait pu nous sembler, et rien de ce
> qui a suivi l'accident n'offre avec elle la
> moindre ressemblance.*
>
> Russell Banks, *De beaux lendemains*

Longer les bords de l'Hudson, l'automne, les feuilles mortes tapissent le parcours, pas glissants de taches rougeâtres et orangées ; en reflet le soleil d'hiver éclate, fines coupures au détour d'un regard, baisser la tête, mains dans les poches d'un lourd manteau, ceinture nouée à la taille, l'arbre nu planté sur la promenade ; au printemps, des avirons, cadences alternées, allongent des lignes de fuite ; le gazon pris d'assaut, les bords de la rivière forment des ports de plaisance, et, sous la chaleur accablante de l'été américain, les enfants se jettent à l'eau à qui mieux mieux sous le regard de la communauté. Simone Hennessy a pris l'habitude, chaque dimanche, de partir seule pour une promenade balisée de Livingston Manor jusqu'au Waterfront Park, paisible prairie taillée à la verticale de l'Hudson River. Deux heures volées à l'emploi du temps, deux heures qu'elle avait négociées, laissant ses deux filles, Eileen et Bridget, à leur père, et s'en allant pour son petit tour, comme elle aimait à dire. Au bout du parcours, la gare ferroviaire où le rituel quotidien de cols blancs affairés - quittant, journal sous le bras, la banlieue résidentielle, les femmes et les enfants, direction New York, les bureaux et les secrétaires – laissait place au désert urbain, là elle s'asseyait sur le même banc devant le quai. Elle griffonnait dans un carnet, toujours en français, pas de *to-do lists*, mais quelques pensées aux pas perdus, des haïkus de saison, son journal qu'elle ne relisait jamais, condamnée à un présent de vérité générale. Ils s'étaient installés voilà douze ans aux États-Unis, laissant derrière eux la vieille Europe, les Hennessy et les Broche, deux belles familles qui, en leurs personnes, réalisaient une belle union. Patrick avait monté son cabinet d'architecture à Manhattan et, après avoir vécu avant guerre à Washington Square, ils avaient migré à la naissance de l'aînée, Bridget, à Dobbs Ferry dans le comté de Westchester, une banlieue tout ce qu'il y avait de plus respectable à une heure de train du centre d'affaires. La ville, berceau de la révolution américaine, camp retranché de George Washington, était prisée désormais des banquiers et des publicitaires.

161

Au sortir de la guerre, Patrick s'était lancé dans de juteuses transactions immobilières, il rachetait à tour de bras les vieilles demeures néogothiques des aristocrates qu'il transformait en luxueux appartements ; son dernier coup, l'acquisition au 155, Beacon Hill Drive d'une somptueuse *mansion* de la fin du XIXᵉ siècle, que l'on aurait crue tout droit sortie de *La Splendeur des Amberson* d'Orson Welles et dont on aurait sans mal imaginé un intérieur d'escaliers entrecroisés plongés dans une obscurité d'où se serait extirpé le visage de George Minafer. Il en préservait les apparats extérieurs, subdivisait l'intérieur et renommait le tout « Castle Apartments ».

Le couple battait de l'aile, deux enfants et Simone s'ennuyait de la France, elle rêvait qu'ils y retournent un jour et multipliait les voyages, un mois en août 1946 avec Bridget et Eileen, puis trois semaines à la Noël 1947. La morne vie des mères de banlieue, elle ne s'y faisait pas. Des armées de névrosées, de cocues et de bigotes enfermées dans un idéal de réussite. Les amitiés qui n'en sont pas, les discussions vides de sens, la fausse convivialité, l'ennui qui vous frappe et ne vous lâche plus, les crasses habitudes, et la joie de vivre remisée au placard. Janvier 1949, le couple se séparait. En octobre, elle se rend à Paris pour régler la succession de son père, ses deux filles restent à Dobbs Ferry, la bonne, Eileen Sheridan, s'en occupe. Simone prépare leur retour en France, loue un appartement

162

dans le VIᵉ arrondissement et part chercher ses filles le 27 octobre par le vol d'Air France.

Patrick Hennessy apprend la mort de Simone le 28 octobre, plus de doute, il n'y a aucun survivant. Il entoure ses filles, ne sait comment les consoler, il n'a jamais su, alors il les serre dans ses bras et sèche tant qu'il peut ces torrents de larmes. Huit et dix ans. Elles s'endorment épuisées, frappées de stupeur. Le 29 octobre, il décide de prendre le premier vol pour Paris, d'y attendre le corps de son ex-femme, de la reconnaître à la morgue, de veiller aux forma- lités. Les filles sont confiées à leur nounou, elles le rejoindront dans une semaine. En décembre, il se lance dans une bataille judiciaire qui durera près de cinq ans. Il attaque la compagnie Air France, réclame vingt-cinq millions de francs (soixante et onze mille dollars) à titre de compensation, au lieu des deux millions deux cent mille francs (six mille trois cents dollars) fixés par les conventions inter- nationales. Divorcé, il dit se battre pour ses filles. Son avocat, Marcel Héraud, met en cause le pilote et l'absence d'un contrôle poussé des instruments de navigation. Le jugement donne raison par deux fois à Air France, et, le 3 février 1954, Patrick Hennessy abandonne les poursuites. L'affaire devient un cas d'école, sous le nom « Hennessy *vs* Air France ».

30

PN et AM

> *Ce sont des plaintes confuses, des*
> *litanies, des murmures que, si l'on est*
> *sceptique ou distrait, l'on pourrait faci-*
> *lement prendre pour le bruit de la mer*
> *ou le cri des vautours. Beaucoup sont des*
> *âmes de naufragés.*
>
> Antonio Tabucchi,
> *Femme de Porto Pim et autres histoires*

Il fallait bien s'y rendre, sur cette île. Il fallait bien suivre le cortège, à rebours, vers la cime du pic, en quête des vestiges de l'épave, sans doute enfouis sous d'épaisses couches de fougères.

Au matin du 28 octobre, un bateau de la compagnie Atlanticoline relie Vila do Porto au port de Ponta Delgada. Soixante-quatre ans plus tôt, alors que le soleil se levait sur l'archipel, des navettes scrutaient encore l'océan en quête des débris de l'appareil, des avions de recherche survolaient la zone.

Sur le ponton, l'impression de participer à un pèlerinage mimétique, grotesque sans doute, poussé par un souci maniaque de la synchronicité jusqu'à faire coïncider le programme avec les dates de l'expédition. Et c'est à 12 heures qu'à l'approche de Ponta Delgada je rejoins la première équipée alertée par l'avion. Ne m'y attend personne, sinon un bus longeant la côte de l'île de São Miguel et qui, bifurquant au mont, se dirige vers le village de Povoação. J'y ai loué une chambre dans un *bed and breakfast* face à l'océan. Le lendemain, à midi, je rejoindrai Algarvia et entamerai avec l'expédition de Lévis-Mirepoix l'ascension du mont Redondo, sous une pluie fine, sorte de crachin, halo de brumisateur. Après des heures de marche à travers la forêt, à suivre des sentiers balisés à la peinture, la crête du mont émerge, et ce n'est qu'après l'avoir longé, au bout d'un chemin escarpé, qu'en contrebas apparaît la fameuse ombre de la mamelle du Redondo, où reposent, recouverts par le travail du temps et des herbes folles, les derniers vestiges du Constellation. Seul indice, une stèle érigée par les habitants du village en hommage aux quarante-huit victimes du F-BAZN, mausolée que l'on nomme *alminhas*, « petites âmes ». Surplombé d'une croix de granit, sur le socle, un texte peint en bleu sur des carreaux de faïence mosaïque désigne le lieu :

Local onde caiu no dia
27 de outubro de 1949

um aviào da Air France
tendo morrido toda
a sua tripulaçào
e os passageiros.
Dai-Lhes Senhor
o eterno descanso...

Lieu où est tombé
le 27 octobre 1949
un avion d'Air France
dans lequel a péri l'ensemble de l'équipage
et des passagers.
Donne-leur, Seigneur,
le repos éternel...

Deux paires d'initiales surplombent l'ensemble, PN et AM, « Notre Père » et « Ave Maria ». J'ai cherché entre les feuillages épais quelques bouts rouillés d'un ossement mécanique, d'un saint suaire boulonné, reliques du pèlerinage. C'est à quelques mètres sous le sol, en deçà du tapis de mousse, que les dernières pièces de l'appareil se rongent de leur destruction centenaire. Le gros de la carcasse, ferraillé dans les semaines qui ont suivi le crash, avait trouvé une seconde vie on ne sait où sur São Miguel.

L'archipel est constellé d'*almas* ou *alminhas*, « âmes » ou « petites âmes », cubes de pierre aux carreaux bleus et blancs ornés d'une croix. Et, selon la légende insulaire, chaque deuxième jour de novembre, les âmes perdues tournent autour des stèles dans l'espoir que saint Michel les attrape avec sa corde et les libère du purgatoire. Ces croix, innombrables sur les hauteurs de São Miguel, veillent au sauvetage de ces naufragés. Au sommet du mont Redondo, une âme veille au salut de quarante-huit naufragés du ciel.

Dernier jour sur l'archipel, je suis parti voir les baleines au-delà des monts couchés où bêlent les brebis des paysans des îles. À Lajes do Pico, les capitaines Achab aux filets étroits, les émigrés échoués à quai au carrefour de l'Océan, les cultivateurs troquant les fourches pour des harpons de fortune sont remplacés par des navettes à horaires fixes sillonnant les eaux territoriales de Pico pour des tour-opérateurs promettant, *satisfait ou remboursé*, d'apercevoir les cétacés. Au large, loin des côtes, la peau bleu argenté striée en lignes claires des baleines émerge de l'eau, charriant des profondeurs des chants d'ultrasons. J'aimerais vous parler d'Antonio Tabucchi et de *Femme de Porto Pim*, recueil d'histoires des Açores. Dans le prologue, le romancier italien prévient, ces récits de naufragés et de baleiniers sont des symboles de l'infini et de l'absolu. Sur le ponton, le cœur noué par la solitude et l'absence, j'envisage le crash, cet avion et ses passagers comme des images transposées du hasard et des coïncidences. Toute histoire est un prétexte. Ces deux dernières années, j'ai cru plus que de raison aux signes, à la bonne étoile, m'y suis perdu, seul le récit de ces vies encloses en destinée dans la carlingue d'un Constellation pouvait répondre à mes questions. Il m'avait fallu me rendre aux Açores pour entendre la résonance intime de ces hommes et de ces femmes qui avaient vécu et aimé. Il m'avait fallu atteindre le port de Ponta Delgada, marcher le long des sentiers du mont Redondo, observer, tard, le ciel, et tôt, le rivage, pour apercevoir l'illusion d'une distance au cœur du roman. Comprendre qu'en éloignant la mélasse de mes sentiments j'accosterais, au terminus, en terrain connu, y trouverais des réponses, mettrais un pied devant l'autre, à nouveau. Il faudrait le cœur en vrac toujours partir en quête de baleines. Et à Pico, sachez-le, aucun phare ne brille.

À Horta, sur l'île de Faial, il existe un bar où les marins du monde entier se retrouvent, et laissent accrochés, à un tableau d'affichage en bois encerclant le comptoir, des messages, télégrammes, bouts de papier. Ce lieu, salle des pas perdus des marins de l'Atlantique, bureau de poste improvisé, se nomme le Peter's Bar. La légende raconte que *Casablanca* aurait dû être tourné ici, que Louis Armstrong y aurait chanté *As Time Goes By* au fond de la salle. J'y crois. Ces mots placardés au tableau attendent leurs destinataires, l'urgence n'est pas de mise, ils trouveront preneurs ou resteront lettre morte. Je me souviens d'une anecdote familiale. Mon oncle, appelé en Algérie, et mon père, étudiant à Paris, ont correspondu pendant toute la guerre. Leurs lettres contenaient comme seul message les positions des pièces d'une partie d'échecs épistolaire qu'ils menèrent pendant deux ans. Je ne sais pas qui a gagné et au fond je m'en moque. Le Peter's Bar trône la nuit à Horta comme un phare, et l'on s'y saoule la gueule jusqu'à trouver le soleil au fond d'un verre. On y boit son chagrin, on partage celui de son voisin, on y répare des amitiés malmenées par les longues traversées. Chacun, dans ce refuge, y cherche, y trouve, en âme naufragée, le souvenir de sa peine, et boit au-delà du raisonnable le salaire de ses regrets. J'y ai bu les arènes de Grenade, un jardin perdu au milieu de l'Alhambra, un lit à baldaquin boisé de l'Albayzín et la fontaine mauresque dont le son fit office de berceuse à deux enfants blessés. Et, au dernier verre, L'Autobus près du Cirque d'hiver, l'étage du café de la Mairie place Saint-Sulpice et La Féline sur les hauteurs de Ménilmontant. J'y ai laissé, punaisé au tableau d'affichage, entre deux bouteilles à la mer, griffonné et arraché à un carnet de notes : « Un jour nous abattrons les cloisons de notre prison ; nous parlerons à des gens qui nous répondront ; le malentendu se dissipera entre les vivants ; les morts n'auront plus de secrets pour nous. Un jour nous prendrons des trains qui partent. »

31

LA VOLUTE DU GUADAGNINI

*Les grammairiens sont pour les auteurs
ce qu'un luthier est pour un musicien.*

Voltaire,
Pensées, remarques et observations

Étienne Vatelot entre en apprentissage en 1942 à l'âge de dix-sept ans dans l'atelier familial. Le jeune luthier laisse derrière lui, sans regret, une carrière de gardien de football. Au 11 bis, rue Portalis, derrière l'église Saint-Augustin, règne une atmosphère de silence, d'humilité, de secrets partagés à mots couverts, rythmés par les seuls grincements du bois. Sur les tables recouvertes de feutre vert, vis à bois, serre-joints, pinceaux à vernis entourent le violon malade. Un héritage *sans testament*. Sixième sens, *gras du doigt*, un toucher de l'âme conjuguant l'intime compréhension de l'artiste et de son instrument qu'aucune école ne saurait enseigner. S'exercer en répétant méthodiquement les mêmes gestes sur des violons d'étude : enlever les cordes, les chevilles, le chevalet, l'âme, le bouton, le cordier, le sillet et la touche, démonter et remonter inlassablement son fusil. Détabler au couteau, extraire la barre, les taquets, et gratter à la gouge les gouttes de colle. Alignés sur tapis vert comme en inventaire, âme, bouton, chevalet, coin, chevilles, éclisse et contre-éclisse, enclavement, épaulière, filets, fond, guillette, hausse, manche, mentonnière, poussette, renversement, table, tasseau, talon, tire-corde, touche, sillet et volute. Une grammaire préparatoire au maniement des instruments, à laquelle s'ajoutera, à l'instar de l'écrivain, la libération des carcans de la syntaxe par le style. L'apprenti sorcier scrute le mystère, et rêve, gouge en main, d'animer les violons comme dansent les balais de *Fantasia*.

Il est commun d'écrire que le luthier est le médecin du musicien. Cette analogie, nul violoniste ne la dément, la relation instaurée entre l'artisan et le concertiste dépasse bien souvent le simple cadre du violon. Il s'agit en quelque sorte d'un psychothérapeute, un médecin de l'âme, comparaison inscrite jusque dans la fabrication même de l'instrument. *L'âme*, cette pièce d'épicéa placée à l'intérieur de la caisse de résonance. À quelques millimètres du pied droit du chevalet et du cordier, l'âme, tout comme celle que nous trouvons en chacun de nous pour autant que nous souhaitions y croire, tient de l'indéfinissable nécessité de l'écho.

Elle transmet les vibrations des cordes au fond de l'instrument. Elle permet également à la table de tenir la pression qu'exercent les cordes par l'intermédiaire du chevalet. L'âme, une chambre d'écho soutenant la pression, le poids de la vie, je souscrirais assez volontiers à cette définition. Médecin de l'âme sans stéthoscope mais armé d'un outil tout autant poétique : une pointe aux âmes. L'art de la lutherie réside entre autres dans le placement de ce cylindre de bois. L'artisan devient alors confident. L'ajustement de la pièce doit correspondre à la personnalité et à la sonorité même du virtuose. Armé de cette pointe, le luthier pique l'âme pour l'introduire par l'ouïe droite et une extrémité en creux, et la place délicatement dans sa position idéale. Un décalage de quelques millimètres peut dénaturer et le violon et le jeu du concertiste, toucher à l'âme d'un violon nécessite la compréhension totale de l'instrument et de son propriétaire. Et le médecin de l'âme se fait alors médecin des âmes. Étienne le comprit en accompagnant son père en Autriche, à la rencontre des marins des bois, les bûcherons de ces cathédrales sylvestres. Concevoir un violon pour Menuhin, chercher l'arbre frère en tempérament du virtuose et dont on tirerait la table d'harmonie. Et de ce voyage, le premier d'une longue série, garder l'impression d'appartenir à une confrérie de sorciers se réunissant à l'ombre des conifères, invoquant la lune, la sève, l'inclinaison du soleil et l'humidité des sous-bois.

Étienne Vatelot rencontre Ginette Neveu en juin 1949, d'emblée une relation de confiance et d'amitié s'instaure. Il se voit confier quelques menues tâches sur le Stradivarius. Il doit l'ouvrir légèrement et régler l'humidification du violon que l'intensité du jeu de la virtuose met à rude épreuve. Les porteurs de légende vont jusqu'à raconter qu'après un concert, exaltée, son menton saigna. Étienne examine l'instrument, propose à son père d'aller plus loin, d'en remplacer la barre d'harmonie, à son avis trop vieille et trop courte. L'apprenti sorcier souhaite trancher les balais à la hache, tandis que le maître Marcel Vatelot le renvoie à ses études : « Toi, petit luthier, tu veux toucher à un tel violon ? Souviens-toi qu'il ne faut jamais détruire une sonorité qui correspond à la personne qui joue ! » Étienne retiendra la leçon, seul le compagnonnage fidèle avec les artistes est gage de compréhension profonde de l'instrument. Premier exercice, il suivra Ginette lors de sa tournée aux États-Unis, c'est à ses côtés qu'il entendra toutes ces subtilités. En compagnon du devoir il s'apprête à l'escorter avec sa mallette de secours. Il devra veiller sur son Omobono Stradivarius. Les billets sont pris, Étienne embarquera sur le vol du 27 octobre d'Air France. Le 22, quand Ginette passe à l'atelier récupérer son violon, elle demande pourtant à Étienne d'ajourner son départ, le temps de roder à Saint Louis son programme.

En catastrophe, le jeune luthier appelle son frère, employé de la compagnie maritime French Lines, qui *in extremis* lui offre une cabine sur le paquebot *Île-de-France*. Il partira le 30 octobre. Quand il apprend le crash du F-BAZN, le matin du 28 octobre, il ne peut s'empêcher de penser, par-delà la tristesse profonde qui l'habite, à ce départ avorté et à la puissance discrète du hasard.

Trente-trois ans plus tard, le mercredi 30 juin 1982 à 20 h 30, en direct sur Antenne 2 depuis le studio 15 des Buttes-Chaumont, Jacques Chancel consacre un numéro du *Grand Échiquier* à Étienne Vatelot, l'émission s'intitule « L'âme des violons ». Autour du luthier, ses amis et clients, Isaac Stern et Mstislav Rostropovitch. Quelques jours avant le grand soir, l'animateur reçoit une lettre du pianiste Bernard Ringeissen : « J'ai pour vous un cadeau inestimable que vous pourrez offrir en direct à la télévision. » Après l'avoir appelé, Jacques Chancel l'invite à les rejoindre. En seconde partie d'émission, le présentateur demande à Étienne Vatelot d'évoquer la violoniste Ginette Neveu.

Jacques Chancel : Cela vous touche car normalement vous auriez dû partir sur cet avion.

Étienne Vatelot : Oui, évidemment, c'est un moment d'émotion quand je pense à elle. Je pense à elle car c'était une très, très grande violoniste et surtout une femme qui avait un tempérament très profond, très large, très ouvert. Et c'est très curieux parce que, quand Ginette Neveu a eu cet accident, et cet avion a eu cet accident aux Açores, on nous a rapporté à l'atelier l'étui dans lequel se trouvaient ses deux violons, il n'y avait plus rien à l'intérieur, plus un petit bout de bois à l'exception d'un archet qui était brisé et d'un autre archet qui portait une signature que nous avons tout de suite reconnue. On nous a demandé : « Vous connaissez cet archet ? – Oui, oui, bien sûr, c'est un archet monté or et écaille et qui doit être signé "Hill & Sons" à Londres, qui est un luthier anglais. » Et je lui ai dit : « Mais où avez-vous trouvé cet archet ? – En descendant de la montagne quand nous cherchions dans les débris, nous avons entendu un monsieur qui gratouillait du violon dans une maison de paysan. Nous sommes entrés, nous avons aperçu cet objet dans sa main, en or et en écaille, et nous lui avons demandé : "Mais c'est à vous ceci ?" et il a répondu : "Non, non, je l'ai trouvé." » À ce moment-là, nous avons posé la question : « Et le violon qu'il avait entre les mains ? » et cette personne de la commission d'Air France nous a répondu : « Oh, vous savez, il avait l'air tellement vieux ! » Si bien que l'on n'a jamais su exactement si le violon de Ginette Neveu était encore en vie ou non.

Jacques Chancel : Étienne Vatelot, je ne vous l'ai pas dit, je n'ai pas donné son nom à la presse mais nous verrons si ce qui était dit paraissait exact ou si c'était faux. Un pianiste qui ne vient pas comme pianiste ce soir – mais nous le verrons bientôt dans *Le Grand Échiquier* –, je ne vous ai pas dit qu'il était là, un pianiste a chez lui quelque chose, un objet qui pourrait rappeler le violon de Ginette Neveu. Il s'agit de Bernard Ringeissen. Vous le savez, vous savez qu'un pianiste qui s'appelle Bernard Ringeissen a… Il est là, je vais lui demander de présenter ce qu'il a. Pardonnez-moi de vous faire cela en direct, mais voilà. (*S'adressant à Bernard Ringeissen*) Venez vous asseoir.

Étienne Vatelot : Écoutez, ça fait des années que j'ai entendu dire que vous possédiez quelque chose qui a appartenu à Ginette Neveu et qui aurait été retrouvé.

Bernard Ringeissen : Oui, le consul de France qui a eu la triste tâche de faire toutes les formalités – consul de France qui était à Lisbonne au moment de la catastrophe et qui a été aux Açores –, a trouvé le lendemain de la catastrophe dans les mains d'un pêcheur une volute de violon. Je donnais une tournée au Brésil, et lorsqu'il m'a montré cette volute – moi-même je connaissais bien Ginette Neveu –, j'étais évidemment très ému. Il m'a dit : « Écoutez, je vous la donne. » (*Il cherche dans la poche gauche de sa veste.*) Et la voici. (*Il tend la volute à Étienne Vatelot, le luthier l'examine un court instant, sa voix s'étrangle, une lourde respiration, Isaac Stern met une main sur son épaule.*)

Étienne Vatelot : C'est la tête du violon du Guadagnini de Ginette Neveu ! Elle avait deux violons, elle avait deux violons dans son étui, c'est la tête du violon du Guadagnini de Ginette Neveu. (*Tandis qu'il parle, la caméra fait un plan serré sur la main droite tremblante du luthier qui tient la tête du violon.*) Je la reconnais tout de suite, pour moi, c'est comme si c'était hier. (*Long silence.*) C'est incroyable, je m'excuse. (*Il essuie une larme.*) Je n'ai même pas besoin de lunettes pour la voir, en général je prends mes lunettes, mais là c'est tellement stupéfiant. C'est le violon, le dernier violon que mon père lui a vendu avant son voyage aux États-Unis. C'est absolument vrai ! C'est toute une histoire.

Jacques Chancel : Comment se fait-il que vous ne vous soyez jamais rencontrés ?

Étienne Vatelot : Je ne sais pas, il y a eu des concours de circonstances, à un moment donné j'avais appris ça, j'avais également téléphoné à une amie pour avoir votre adresse et puis ensuite je ne sais pas, vous étiez…

Bernard Ringeissen : C'est une relique, c'était une relique, vous savez je n'ai pas… J'étais tellement ému. Nous la retrouvons maintenant et je pense que je la donnerai au Conservatoire.

La volute passe de main en main.

Étienne Vatelot : Alors le Stradivarius ce n'est pas lui, c'est le Guadagnini.

Bernard Ringeissen : Et alors, le Stradivarius qu'est-ce qu'il devient ?

Étienne Vatelot : Je ne sais toujours pas.

Jacques Chancel : Bernard Ringeissen, merci, nous allons nous retrouver bientôt.

Étienne Vatelot rend la volute à Bernard Ringeissen, lui prenant les deux mains.

Étienne Vatelot : Vous la conservez précieusement.

Jacques Chancel : Pardon d'avoir fait cela de cette manière, ce n'était pas pour créer un moment d'émotion, c'était simplement pour que vous puissiez vous rencontrer.

Bernard Ringeissen : C'était un moment d'émotion réelle, et je crois qu'il l'a été sur scène.

Étienne Vatelot : Absolument. Il vaut mieux penser à autre chose, quoiqu'on garde le souvenir, un bon souvenir de cela.

Isaac Stern : Je dois dire que j'étais si ému et touché par ce qui s'est passé ici.

Jacques Chancel : Je vous ai vu pleurer, Isaac Stern.

Isaac Stern : J'ai assisté au dernier concert qu'elle a donné avant sa mort, c'était le jour où elle est partie à bord de l'avion où elle a trouvé la mort ; j'étais au concert, c'était au Châtelet avec son frère, séance de sonates, elle a joué merveilleusement bien, avec une telle solidité dans la compréhension vaste de la musique, une âme vraiment glorieuse. Et j'étais si touché de voir ce qui s'est passé ce soir. Je dois vous dire, si vous le permettez, que le Haydn que nous avons joué était un peu en mémoire de Ginette, parce que c'était quelqu'un dans la musique. On manque beaucoup de gens comme ça, c'est très rare.

Tombant par hasard sur cette vidéo, un soir, tard, j'étais resté stupéfait par la scène. Les sanglots dans la voix d'Étienne Vatelot, le regard d'Isaac Stern, la délicatesse et la maladresse de Bernard Ringeissen, et Jacques Chancel, en chef d'orchestre, presque gêné de sa surprise. Il m'avait fallu la visionner à nouveau, prêter l'oreille aux détails, à la paume de main du luthier, à ce bout de bois sculpté en circonvolution baroque et dont la réapparition magique, trente-trois ans plus tard, devant des caméras de télévision, donnait à ce moment l'allure d'une saynète surréaliste. Une image surgit, la femme-volute, forme renouvelée du *Violon d'Ingres* de Man Ray où la muse Kiki de Montparnasse, légèrement de profil, par un effet de montage des ouïes de violon apposées sur son dos, devient femme-instrument. Son turban noué en serait la volute que l'on nomme « tête », et dont les enroulements esthétiques nimbent le violon de son secret. Le propriétaire de ce cliché n'était autre qu'André Breton, y aurait-il vu l'un de ces *hasards objectifs* qu'il collectionnait comme l'on répertorie sous verre les papillons. *Hasard objectif*, cette belle formule, qu'il théorisa comme l'interaction d'expériences personnelles de synchronicité. Dans *Les Vases communicants*, il approfondit la notion de hasard nécessaire : « La causalité ne peut être comprise qu'en liaison avec la catégorie du hasard objectif, forme de manifestation de la nécessité. » Œuvre pratique des apparitions, *Nadja* est ponctuée de photographies de Man Ray. La dernière m'avait marqué à l'époque, une vue du palais des Papes depuis la Barthelasse, sur la gauche, le panneau « LES AUBES », plaque du restaurant de l'île Sous les Aubes. Cette photographie ne figure pas dans la première édition du livre et n'est pas de Man Ray. L'auteur est une amie, Valentine Hugo, épouse de Jean Hugo, arrière-petit-fils du poète qui écrivit *Demain, dès l'aube…* Quelques années plus tôt, elle lui avait offert un petit lavis de son illustre aïeul, une ligne d'horizon intitulée *Aube*, André Breton et Jacqueline Lamba donnèrent par la suite à leur fille ce prénom d'espérance. Cette dernière photographie de *Nadja*, sur les bords du Rhône, précède de quelques pages la fin du livre, André Breton clôt le récit par la retranscription d'un article de journal :

X…, 26 décembre. – L'opérateur chargé de la station de télégraphie sans fil située à L'Île du Sable, a capté un fragment de message qui aurait été lancé dimanche soir à telle heure par le… Le message disait notamment : « Il y a quelque chose qui ne va pas », mais il n'indiquait pas la position de l'avion à ce moment, et, par suite de très mauvaises conditions atmosphériques et des interférences qui se produisaient, l'opérateur n'a pu comprendre aucune autre phrase, ni entrer de nouveau en communication.

« Le message était transmis sur une longueur d'onde de 625 mètres ; d'autre part, étant donné la force de réception, l'opérateur a cru pouvoir localiser l'avion dans un rayon de 80 kilomètres autour de L'Île du Sable. *»*

Cette volute magique ressemble davantage à un de ces objets de quête qui peuplent les contes de fées. Émergeait de l'au-delà le bout de bois sculpté, porteur d'un message à déchiffrer. Et voici *Le Conte de la volute du Guadagnini*, où la tête d'un violon passe de main en main, des Açores au Brésil jusqu'à un studio de télévision des Buttes-Chaumont, dans une émission au nom de *Grand Échiquier*, pour être authentifiée par le dernier luthier ayant verni le violon trente-trois ans plus tôt. Vernis, secret ultime, décoction d'apothicaire que Marcel Vatelot préparait en secret le dimanche, à l'abri des regards indiscrets, et dont il ne confia à son fils la recette qu'une fois sur son lit de mort. Antonio Stradivari, lui, devait emporter dans la tombe la formule de son vernis.

Reste un mystère. Qu'est-il advenu du fameux Stradivarius de Ginette Neveu, un alto fabriqué en 1730 par Omobono Stradivari, le fils du maître de Crémone ? Ce vieux violon dans les mains du pêcheur des Açores, que les enquêteurs, aveuglés par l'or et l'écaille de l'archet, n'avaient pas cru bon de récupérer, tant il semblait « vieux », était-il le fameux Stradivarius de Ginette Neveu ? Lévis-Mirepoix, l'inspecteur d'Air France, l'avait affirmé, ingénu, aux Vatelot : « Oh, vous savez, il avait l'air tellement vieux ! » À mesure que les jours passèrent, le mystère de ce fameux violon s'épaissit. Eu égard au prix exorbitant de l'instrument, il semblait impensable de ne pas vérifier. C'est ce que fit la compagnie d'assurances. Trois jours plus tard, deux experts accompagnés d'un interprète se rendaient sur l'île de São Miguel, dans le village d'Algarvia, à la recherche du violon perdu. Les enquêteurs suivirent les indications de Lévis-Mirepoix, interrogèrent le pêcheur. Il affirma ne pas se souvenir, n'avoir jamais possédé un tel violon. Après avoir fouillé de fond en comble le village, ratissé les pentes du Redondo, les experts rentrèrent bredouilles. Le mystère devint une légende. Aux Açores, les vieux racontent que, dans les années 50, un fou s'amusait à gratter les cordes d'un violon, secret du hameau, ils brodent à l'envi, en rajoutent, il aurait disparu, aurait vendu l'instrument, qui aurait atterri aux États-Unis, un riche marchand l'aurait racheté à prix d'or. Nul ne sait vraiment.

Le 6 novembre 2013, à l'hôtel Drouot, à Paris, la société de ventes Artemisia met aux enchères la valise de Marcel Cerdan retrouvée sur les pentes du mont. La vente agite le petit milieu des collectionneurs, sur la valise rectangulaire en cuir clair, usée, élimée mais intacte, les initiales « E.C. » apposées sous une couronne seraient, écrit-on sur le catalogue, un symbole de l'amour unissant Cerdan et Piaf. Ils l'auraient dénichée un jour de flânerie dans un bric-à-brac à New York, surpris d'y trouver le prénom de la chanteuse et le nom du boxeur, qu'ils espéraient un jour associés. Une étiquette défraîchie de la compagnie maritime Cunard White Star est collée sur le dos du bagage, souvenir d'une traversée en transatlantique en 1946. À l'occasion du cinquantième anniversaire de la mort d'Édith Piaf, la presse se fait largement l'écho de cette belle histoire, on parle de « valise de l'amour ». Estimées entre cinq et dix mille euros les enchères devraient vite grimper. Personne, sinon un journaliste de *L'Équipe*, ne relève l'incohérence des dates, les deux amants se rencontrent bien en 1946 mais leur idylle ne débute qu'en janvier 1948, la traversée n'a pu avoir lieu. C'est un faux. L'enquête dévoile la supercherie le matin de la vente, la valise ne trouve pas preneur.

Post-scriptum

LE MARIAGE DES VIEUX AMANTS

J'avais noté, dans l'avion qui m'amenait à Lisbonne, le fragment d'un poème de Blaise Cendrars, *Fernando de Noronha* :

De loin on dirait une cathédrale engloutie.
De près
C'est une île aux couleurs si intenses
que le vert de l'herbe est tout doré.

J'y trouvais une description fidèle des Açores, l'émergence des roches volcaniques, de ces stalagmites millénaires dont les formes biscornues dessinent l'architecture des récifs. Et ce vert, omniprésent, flamboyant, la terre fertile de la lave et des paysages empreints de motifs du Douanier Rousseau, de ces forêts vierges au soleil couchant. Pourtant, les Açores ne ressemblent en rien à l'archipel brésilien de Fernando de Noronha où le vert tropical chute dans le bleu turquoise des lagunes. Vingt et une îles, perdues à plus de cinq cents kilomètres de Recife. C'est en tombant sur le rapport d'enquête du crash du Paris-Rio qu'un lien étonnant naissait. L'AF447 décolle de l'aéroport Antônio-Carlos-Jobim de Rio de Janeiro le soir du 31 mai 2009. À 2 h 14, le 1er juin, l'avion disparaît des radars. Les autorités brésiliennes lancent immédiatement les recherches, et ce n'est que cinq jours plus tard que les premiers corps sont repêchés. L'appareil gît à près de trois mille neuf cents mètres de profondeur et reste introuvable. Le rapatriement des premières dépouilles s'effectue depuis l'aérodrome de Fernando de Noronha. L'incertitude du lieu du crash associée à la profondeur ralentissent le travail de recherche, et ce n'est qu'en avril 2011 que l'AF447 est repéré. Le 16 mai, les précieuses boîtes noires sont récupérées. Les dépouilles sont transférées sur l'île avant l'identification ADN et dentaire, douze membres d'équipage et deux cent seize passagers, dont Silvio Barbato, le chef d'orchestre du Symphonique de Rio. Le 16 juin, le navire *Île de Sein*, chargé des opérations de repêchage en Atlantique, accoste à Bayonne, à son bord cent quatre victimes françaises, transférées par la suite à l'Institut médico-légal de Paris.

Le 28 septembre 1915, au cours de l'offensive en Champagne, le caporal Blaise Cendrars perd son bras droit. Par une fiévreuse nuit d'écriture, le 1ᵉʳ septembre 1916, il retrouve l'inspiration, ce sera *La Fin du monde filmée par l'ange Notre-Dame*. Sous le signe de la constellation d'Orion, le membre fantôme est monté au ciel et lui insuffle en muse les vers élastiques de la modernité, le poète de la main gauche est né. Orion, le géant aveugle, trahi par Œnopion, guidé sur ses épaules par l'enfant Cédalion, toujours plus à l'est, à la recherche des rayons de soleil à même selon l'oracle de le guérir. Sa mort, sous le dard du scorpion d'Artémis, l'élève au ciel. Scorpion et Orion côte à côte en constellations. Blaise transpose au mythe grec la légende personnelle de la main sidérale. Arrachée, prise dans la mélasse boueuse des sentiers de la gloire, elle rejoint comme les cinq doigts de la main les nébuleuses d'Orion. Enchantement, assomption d'une main d'écriture s'agglomérant à Bételgeuse, l'étoile majeure du thème astral scintille.

Durant toute la guerre je voyais Orion par mon
  créneau
Quand les Zeppelins venaient bombarder Paris ils
  venaient toujours d'Orion
Aujourd'hui je l'ai au-dessus de ma tête
Le grand mât perce la paume de cette main qui doit
  souffrir
Comme ma main coupée me fait souffrir percée
  qu'elle est par un dard continuel

Cendrars est devenu l'ermite d'Aix-en-Provence, où il vit réfugié depuis 1940. Les enfants sont au front, Raymone au Brésil avec la troupe de Louis Jouvet. Le poète a arrêté d'écrire, il tue le temps dans les auberges, maudit les Boches dans les bistrots du cours Mirabeau, écume les rayonnages de la bibliothèque Méjanes, veille dans un grand appartement de la rue Clemenceau sur Mamanternelle, quatre-vingt-quatre ans, la mère de son éternelle amante. Trois ans de silence, trois ans avant que le démon de l'écriture noyé par l'infâme débâcle ne lui dicte à nouveau sa loi, ce sera *L'Homme foudroyé.* Puis d'autres, il y parle de Jugement dernier et d'un saint patron de l'aviation, as de la lévitation, le saint Joseph de Coupertine. Raymone est revenue. Non loin, Laurin, un autre manchot, sabote les trains allemands, plus loin, à Céreste, René Char, un autre poète, capitaine Alexandre, prend le maquis. Vient la Libération. Octobre 1945, un jeune reporter du nom de Robert Doisneau photographie Blaise sous la tonnelle, dans les jardins, derrière les cactus ou les herbes folles, en bras de chemise, béret vissé sur la tête et mégot collé aux lèvres. Ce n'est plus l'élégant en guenilles peint par Modigliani mais un grand-père revenu de mille batailles, assagi, en exil, au visage buriné scintillant d'yeux mi-clos, à la table de travail, la machine à écrire d'un côté, le verre et la bouteille de rhum de l'autre. Blaise vieillit et les jeunes accourent. On vient à Aix comme on se rend en pèlerinage. Il s'en amuse.

À peine Robert Doisneau parti, René Fallet, démobilisé, débarque : « Monsieur Cendrars, vous avez cinquante-six ans, j'en ai dix-huit, vous pourriez, comme on dit, être mon père, mais je vous reconnais, vous chante et vous aime… », lui écrit-il. Non pas un père mais un frère, la main amie à écumer les comptoirs, à casser des verres aux Deux Garçons, à parler poésie, caméléons, lys et oiseaux, à jouer la vie à pile ou face, à faire équipe, des mots de douce amitié et un disciple sans discipline. L'ermite de la Sainte-Victoire lève l'armée des gaillards de la main amie.

Un jeune homme, un autre, le fils non d'élection mais de sang, le pilote Rémy Sauser meurt en plein vol, au-delà de la Méditerranée, au Maroc. Douleur sourde, stupéfiante, « un coup de poing en pleine figure », confie Blaise à une amie. Il termine *La Main coupée*, inscrit en exergue : « POUR MES FILS ODILON ET RÉMY QUAND ILS RENTRERONT DE CAPTIVITÉ ET DE GUERRE ET POUR LEURS FILS QUAND CES PETITS AURONT VINGT ANS HÉLAS !… », puis ajoute, à la ligne, en post-scriptum, comme une dernière dépêche télégraphiant la douleur : « Hélas !… Le 26 novembre 1945, un câble de Meknès (Maroc) m'apprend que Rémy s'est tué, dans un accident d'avion. Mon pauvre Rémy, il était si heureux de survoler l'Atlas tous les matins, il était si heureux de vivre depuis son retour de captivité en Bochie. C'est trop triste... Mais un des privilèges de ce dangereux métier de pilote de chasse est de pouvoir se tuer en plein vol et de mourir jeune. Mon fils repose, au milieu de ses camarades tombés comme lui, dans ce petit carré de sable du cimetière de Meknès, réservé aux aviateurs et déjà surpeuplé, chacun plié dans son parachute, comme des momies ou des larves qui attendent chez les infidèles, pauvres gosses, le soleil de la résurrection. » Et Raymone, séparée, retrouvée, pleure Rémy comme son garçon, son préféré. Remontée sur les planches à Paris, elle écrit à Blaise : « J'étais sûre que je ne reverrais pas Rémy. Quand il m'a embrassée, au métro, il a senti dans mon regard que je lui disais adieu, et il est revenu me serrer les mains... » Syndrome du membre fantôme de l'amputé, le fils toujours relié au corps, hallucinose, pathologie du moignon, Rémy revient hanter, dans une « dernière petite carte postale » envoyée le 4 novembre 1945, son père : « Mon cher Blaise, Mon boulot est de plus en plus intéressant et j'en suis ravi. Tout est beau, mon travail, le temps, le ravitaillement (dattes, oranges et mandarines) et j'espère bien rester ici jusqu'à Pâques, revenir en France avec la belle saison. J'espère que de ton côté tout est également O.K. Baisers. Rémy. »

Un monoplace perdu dans l'Atlas marocain.

Un Lockheed Constellation évanoui au milieu de l'Atlantique.

Quand tu aimes il faut revenir. Une vie à casser la boussole, à s'ouvrir aux points cardinaux, et puis, au bout du monde, le lieu commun. Quand tu aimes il faut revenir. Une vie à jouer à cache-cache, à tromper l'ennui, à tromper la mort, et au seuil, la vieille cabane, l'origine, le trésor. Quand tu aimes il faut revenir. Maudit, désespéré, en vrac, l'esprit bariolé d'animaux étranges et de paysages utopiques, découvrir au tréfonds de la forêt première l'âme sœur, patiente et protectrice. Quand tu aimes il faut revenir. Une vie à perdre haleine, la Russie, la Chine orientale, les oncles du Panama, l'Amazonie, les baleines de la Terre de Feu, Amsterdam, Anvers, l'horizon en déclin sur l'Équateur, la guerre et les bateaux, une vie tout entière sous le signe du départ. D'une arrivée, inattendue, banale, la porte à côté, et l'*Odyssée* comme un grand détour. Quand tu aimes il faut revenir. Le 27 octobre 1949, tandis qu'un avion au nom de Constellation décolle d'Orly, à Sigriswil, dans l'Oberland bernois, le poète Blaise Cendrars se marie avec son aimée de toujours, Raymone Duchateau. Le mariage des vieux amants, dans une auberge suisse allemande, voyage de fiançailles d'abord, l'anneau scelle le retour au pays natal. Blaise l'apatride s'est trouvé une patrie. Parti pour ne pas revenir, au seuil de sa vie, il trouve dans le village de Sigriswil la terre des ancêtres. Et lui, le Suisse en fuite, qui craignait de n'arriver jamais, quand enfin

Raymone accepte de se marier, il découvre dans le visage des paysans de l'Oberland son Ithaque. Dans l'histoire, les expressions, le nez, il reconnaît les signes intangibles d'une ascendance. Dans la généalogie des vignerons du lac de Thoune, un caractère commun, une confrérie d'indomptables, de révoltés. Dans la salle de l'auberge où l'on festoie avec quelques amis après le mariage, Blaise annonce l'écriture d'une *Conquête de Sigriswil*. Il n'en sera rien. Dans la petite église du IXe siècle, sur un tableau peint sur bois, il reconnaît parmi les trente bourgeois du retable ses aïeux ; le 27 octobre 1949, à l'instant où le Constellation décolle d'Orly, les amants séparés mais inséparables s'unissent, le poète à la main coupée arrive à bon port.

En 1956, Blaise Cendrars publie son dernier roman, *Emmène-moi au bout du monde !...* Le titre est un appel en forme de faux-semblant, pas d'exotisme, de carnets de voyages fantasmés, mais la vérité d'un homme, le bout du monde, comme une planète accomplit sa révolution, n'est pas bien loin. Au *seuil*, valeur limite et initiale, base de la porte marquée d'une pierre ou d'un bois, ou terme tiré du lexique de l'aviation, en un *seuil décalé*, vers le commencement et la fin de la piste. Il livre son testament, l'ailleurs, la part de rêve en forme de point final est ici, à Paris : « Le bout du monde c'est le Père-Lachaise. »

Au rez-de-chaussée de l'appartement de la rue José-Maria-de-Heredia, Blaise Cendrars se meurt. Paralysé, les derniers mois sont un long calvaire. Le 21 janvier 1961, Raymone referme les paupières de son mari, Miriam tient la main de son père. Ne larmoie pas en souriant.

Je suis né un 20 janvier, et, à l'âge de onze ans, j'ai douté de ma date de naissance. J'étais tombé sur le faire-part envoyé par mes parents, il indiquait un 21 janvier. Et après les avoir questionnés, aucun d'eux ne fut en mesure de m'apporter une réponse claire, l'acte d'état civil et le carnet de famille différaient. Je m'offusquais, ne comprenais pas qu'il leur soit impossible de trancher. Je me retrouvais incertain de ma naissance et dépourvu de signe astrologique fiable, le 20 Capricorne, le 21 Verseau. Une affaire de constellations. Il fallut vérifier auprès de la clinique, les registres indiquaient le 20.

Remerciements à Manuel Carcassonne, Bernard Chambaz, Benoît Heimermann et Luc Widmaier.

Reconnaissances à Philippe Castellano, auteur des précieux articles « Il y a 60 ans : le Constellation de Marcel Cerdan disparaissait aux Açores », *Avions*, n° 173 et n° 174 ; Dominique Grimault et Patrick Mahé, auteurs de *Piaf-Cerdan, un hymne à l'amour 1946-1949*, Robert Laffont, 2007 ; Jacques Chancel, orchestrateur du miracle.

Crédits

Cet ouvrage a été composé
par PCA à Rezé (Loire-Atlantique)
et achevé d'imprimer en France
par CPI Bussière
à Saint-Amand-Montrond (Cher)
pour le compte des Éditions Stock
31, rue de Fleurus, 75006 Paris
en novembre 2014

Imprimé en France

Dépôt légal : novembre 2014
N° d'édition : 17 – N° d'impression : 2013045
51-51-4345/8